Jeunesse

LES PILLEURS
DE SARCOPHAGES

ODILE WEULERSSE

LES PILLEURS DE SARCOPHAGES

Illustrations :
Paul et Gaétan Brizzi

En 1550 avant Jésus-Christ, les Hyksos, des envahisseurs venus d'Asie, règnent sur la vallée du Nil depuis cent cinquante ans. Ils ont installé leur capitale à Avaris, dans le nord de la Basse-Égypte, près de la mer. Usurpant les droits et les titres des anciens maîtres du pays, leurs princes se déclarent pharaon, fils du dieu, roi de Haute et de Basse-Égypte. Ils célèbrent le culte d'un dieu violent, le dieu Seth, qui leur a donné la victoire.

En Haute-Égypte, à Thèbes, la résistance contre l'envahisseur s'est progressivement organisée. Les véritables pharaons d'Égypte veulent délivrer le pays et rétablir le culte du dieu soleil, le dieu Amon-Rê. Ils mènent contre les Hyksos une lutte sans merci.

Pour la victoire finale, les deux rois rivaux, Ahmosis, le roi de Thèbes, et Apopi, le roi hyksos, recherchent des alliés dans les différentes provinces du pays.

C'est alors qu'arrive à Éléphantine, petite île au cœur du Nil, à l'extrême sud de l'Égypte, un voyageur inattendu...

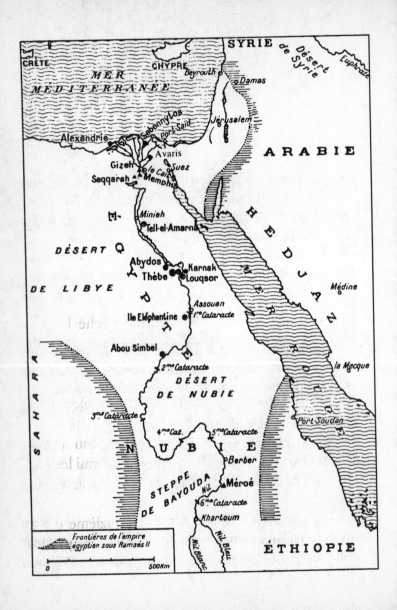

1

Éléphantine

Le pagne de travers, une longue mèche bouclée balayant son visage, debout dans sa barque de papyrus, Tétiki lance son boomerang sur un vol d'oiseaux qui remontent le Nil. Son petit singe Didiphor, bien calé à l'arrière de la barque, pousse quelques cris rauques pour encourager son maître. La tête de serpent du boomerang de bois frappe l'oiseau au cou, tandis que s'élève une grande clameur parmi les volatiles. Le pigeon tourbillonne lentement et tombe dans le fleuve.

Tétiki sourit de fierté : c'est le douzième oiseau qu'il abat dans l'après-midi et toujours du premier coup. Déjà Didiphor trempe sa patte dans le Nil pour attraper le gibier que le courant ramène près de la barque lorsqu'une voix sanglotante se fait entendre :

« Tétiki... Tétiki... »

La voix vient de la rive de l'île Éléphantine.

« Attends, crie Tétiki sans se retourner. Nous mangerons ce soir des pigeons grillés avec de l'ail et des oignons. »

Didiphor ramasse le pigeon et le pose dans la barque, tandis que Tétiki reprend son boomerang qui dérive entre les roseaux de papyrus et le remet à sa ceinture. Puis il pousse un soupir de bonheur et contemple un instant les deux chaînes de montagnes qui entourent le fleuve. Elles sont désertiques et font un étrange contraste avec les petites îles verdoyantes qui entourent l'île Éléphantine. Pour Tétiki, Éléphantine est la plus belle province d'Égypte. Il est vrai qu'il n'en connaît point d'autre. Il vient juste d'avoir quinze ans. Il a de grands yeux bruns en amande, un profil régulier et un sourire éclatant.

La voix sanglotante reprend ses appels désespérés :

« Tétiki... Tétiki... »

Tétiki se retourne et voit sur la rive Penou qui tord ses bras de douleur. Tétiki, étonné et curieux, saisit vivement une rame pour se rapprocher du rivage.

« Qu'est-ce que tu as, Penou ? » demande Tétiki.

Penou parle confusément, mélangeant sanglots et paroles et il est difficile de le comprendre.

« Le malheur est arrivé, balbutie-t-il... Le malheur

est arrivé... Il a fondu sur Penou avec la férocité du vautour et la rapidité de la gazelle. »

Penou est un nain pygmée, aux yeux verts très doux, que Ramose, le père de Tétiki, a acheté l'année passée à une caravane qui remontait de Nubie. Les nains sont rares et précieux et Ramose a acheté Penou contre cinq cruches de vin, trois bracelets, quatre paniers de dattes et une perruque frisée. Il en a fait cadeau à son fils pour l'anniversaire de ses quatorze ans. Depuis, le nain et le jeune garçon sont devenus des amis inséparables.

Tétiki perd patience devant le discours incompréhensible du nain :

« Arrête de pleurer. Je ne comprends rien à ce que tu racontes.

— Le malheur a fondu sur Penou... Il veut m'acheter, il veut m'emmener. »

Tétiki se sent soulagé. Il ne se passe rien de grave. C'est la vieille peur de Penou, celle de redevenir esclave, qui vient le hanter à nouveau. Périodiquement, dès qu'un visiteur s'intéresse à lui, le nain croit qu'on va le vendre encore une fois. Tétiki lui dit avec tendresse :

« Tu as fait un mauvais rêve, Penou. Va voir la servante. Dis-lui de te barbouiller le visage avec un mélange de bière, d'herbes et d'encens. Ton rêve perdra son pouvoir. »

Mais le nain continue à sangloter.

« J'ai dansé la danse du dieu, dit-il.

— Et alors ? » demande Tétiki en se dirigeant à nouveau vers sa barque.

Penou lève brusquement un visage effrayé :

« Il veut m'emmener à Avaris.

— Qui, demande Tétiki, qui veut t'emmener à Avaris ?

— Le prince, le prince hyksos. »

À ce nom le garçon se retourne brusquement vers le nain :

« Quel prince hyksos ?

— Celui qui vient d'arriver dans le port. »

Tétiki devient soucieux. Les Hyksos, les envahisseurs qui se sont installés en Égypte par la force, il y a plus d'une centaine d'années, vivent principalement dans le Nord, dans le Delta. Leur capitale est à Avaris, près de la mer. S'ils envoient régulièrement des scribes ou des fonctionnaires à Éléphantine pour surveiller la bonne administration de la province et prélever des impôts, il est exceptionnel qu'un prince étranger descende jusqu'à la lointaine frontière du Sud.

Tétiki revient vers son ami et l'interroge gravement :

« Qu'est-ce que le prince hyksos fait ici ? Que veut-il ?

— M'emmener à Avaris.

— Ne dis pas de bêtise, Penou. Le prince n'a pas

remonté le Nil jusqu'à Éléphantine pour venir te chercher. »

Penou fait une petite moue de dépit et ajoute :

« Il est venu aussi voir ton père.

— Pourquoi ?

— Il n'a rien dit. Il m'a seulement promis un bracelet d'or si je dansais la danse du soleil. Jamais il ne l'a vu danser. Alors j'ai sauté comme un léopard, j'ai tourné comme un serpent, mais il ne m'a pas donné de bracelet d'or. Seulement un scarabée hyksos. »

Et Penou montre, attachée à son cou, à côté de nombreuses amulettes, celle du scarabée sacré que les Hyksos surchargent de spirales et d'hiéroglyphes.

« On ne porte pas un scarabée hyksos », dit Tétiki avec indignation.

Et il arrache l'amulette de faïence du cou de son ami et la jette dans le Nil, tandis que Penou murmure :

« Je ne veux pas aller avec les envahisseurs. Je préfère marcher dans le désert jusqu'à ce que mon corps se dessèche de soif et que je sois dévoré par les chacals. »

Tétiki passe sa main sur la tête frisée du nain et le rassure :

« Jamais mon père ne te donnera au prince hyksos. Allez, viens. Retournons à la maison. »

Dans le domaine de Ramose, nomarque d'Éléphantine, gouverneur du premier nome d'Égypte, la présence d'un hôte de marque ne fait aucun doute. Tout le monde se prépare pour la fête. Dans les communs du domaine, où sont regroupés les magasins, on dépèce le bœuf, on met les pains au four, on ouvre les cruches de bière et les amphores de vin, on plume les oiseaux. Des effluves d'encens se répandent dans toute l'île, se mêlant au parfum des fleurs et à l'odeur de la viande grillée. Le soleil, sur le point de disparaître derrière le désert d'Occident, éclaire d'une lumière chaude les montagnes de granit rose. C'est là que les tailleurs de pierre sont en train d'arracher au rocher un obélisque de quarante-deux mètres de long. Il a été commandé par Ahmosis, le roi de Thèbes, pour le temple du dieu Amon.

Les serviteurs et les servantes saluent joyeusement le fils de leur maître :

« À ton ka, Tétiki, dit l'une.

— Que ton ka te protège et te garde en longue vie, dit l'autre.

— Que le dieu Amon-Rê t'accorde ses faveurs », dit un troisième.

Mais Tétiki ne partage pas la joie des serviteurs, qui sont toujours heureux quand il y a une fête au palais du nomarque. Son cœur est agité et inquiet. Que signifie cette visite inattendue ? Pourquoi les envahisseurs s'intéressent-ils à Éléphantine ? Que vient faire ici le prince hyksos ? Que veut-il demander à son père Ramose ?

Informé de la très honorifique visite du prince, commissaire royal aux armées, ami unique du roi d'Avaris, Ramose a mis sa tenue de gala : une longue robe plissée de lin, une perruque, du fard pour marquer ses sourcils et ses yeux, du parfum et un large collier d'argent assorti à deux bracelets. Il porte, exceptionnellement, des sandales.

Dans la salle du festin, qu'éclairent les lumières vacillantes des lampes à huile d'olive, le nomarque se tient assis dans un fauteuil de bois sculpté. Sur un siège semblable se tient le commissaire royal. Près de lui est assis le préposé aux soldats, Antef, qui le seconde dans sa délicate mission. Tétiki et d'autres membres de l'entourage du nomarque sont assis par terre sur des coussins.

Les servantes apportent le repas sur des petites tables posées près des convives. Selon l'usage, elles ont enlevé leurs vêtements et se sont mises toutes nues pour honorer le visiteur de passage. L'une d'entre elles dépose sur la tête des participants des petits cônes de graisse parfumée que la chaleur fait fondre lentement sur les cheveux et les épaules. Didiphor maintient le sien avec difficulté et ne cesse de le redresser avec sa queue. Trois musiciennes jouent des mélodies.

Quoique la conversation soit, en apparence, futile et courtoise, Tétiki ne mange pas et regarde attenti-

vement les visages. Celui de son père paraît préoccupé. Ses paupières se ferment par moments, comme s'il voulait réfléchir intensément. Le commissaire royal aux armées porte la barbe large et carrée des envahisseurs. Il a l'expression autoritaire mais assez sotte, ce qui le rend partiellement inoffensif. Antef paraît plus dangereux : ses yeux, petits, terriblement mobiles, ont quelque chose de finaud et de sournois, alors que sa large mâchoire et son menton volontaire manifestent l'énergie et l'obstination. Il tient sa jambe droite étendue et rigide. Sans doute a-t-il eu un accident.

« Où est Penou ? demande Ramose. Le commissaire royal, dont le cœur est chargé d'amitié, souhaite le voir danser.

— Il a fait un mauvais rêve », répond Tétiki avec prudence.

Mais son astuce ne trompe pas Antef qui rétorque :

« Le fils du nomarque veut dire que le nain refuse de venir danser ? »

Tétiki garde son sang-froid et répète avec conviction :

« Je veux dire que Penou croit qu'il lui arrivera malheur s'il danse après un mauvais rêve.

— C'est une superstition ridicule, dit le commissaire royal. Mais cela n'a pas d'importance puisque je l'emmènerai avec moi à Avaris. »

Tétiki regarde son père dont le visage s'assombrit.

« L'ami unique d'Apopi, souverain d'Avaris, n'est pas venu jusqu'à Éléphantine pour ramener un nain ? » demande le nomarque.

C'est le moment attendu et redouté. Tétiki et Didiphor, pour ne rien perdre de la conversation, se tiennent aussi immobiles qu'une statue de dieu. Le commissaire royal sourit, prend une figue, la mange, puis finit par dire à son hôte :

« Le souverain hyksos connaît ta prudence et ton courage, Ramose. C'est pourquoi il vient, par ma bouche, te demander aide et assistance. »

Ramose répond avec circonspection :

« Le roi d'Avaris est trop puissant pour avoir besoin du modeste nomarque d'Éléphantine. »

Le commissaire royal change brusquement de ton :

« Il s'agit d'Ahmosis. Tu sais qu'il se fait appeler roi de Thèbes et qu'il prétend être le véritable pharaon d'Égypte. Nous l'avons laissé se révolter comme un enfant qui joue avec des soldats de bois. Mais maintenant son armée est puissante et ses ambitions deviennent dangereuses. Il est temps de l'écraser définitivement et de reconquérir sa ville. »

Ramose réfléchit un moment avant de constater avec regret :

« Thèbes ne peut pas grand-chose contre la puissance des Hyksos. »

Alors Antef prend la parole. Sa voix est douce comme le miel, insinueuse et perfide.

« Thèbes ne pourra rien faire si elle est encerclée. Il faut que toi, Ramose, tu conduises une armée qui l'attaque par le sud. »

Tétiki dresse la tête d'indignation. Son père la baisse d'inquiétude. Didiphor garde une impassibilité divine.

« C'est une querelle qui ne me concerne pas, dit Ramose. Éléphantine n'est qu'une petite île, perdue loin sur le Nil.

— Ne fais pas le naïf, Ramose, dit le commissaire royal en riant. Nous savons beaucoup de choses. Nous avons des espions partout, même au cœur de Thèbes. Et nous avons appris que tu as des réunions clandestines avec les amis d'Ahmosis. Nous savons aussi que tu fais préparer, dans les carrières de granit, une paire d'obélisques pour le temple d'Amon.

— Le dieu Amon est le dieu de mes ancêtres », répond Ramose.

Le commissaire royal se lève de colère :

« Il est aussi celui des révoltés thébains. Maintenant, tu dois adorer le dieu Seth. »

Ramose baisse les paupières pour se concentrer. Il cherche le moyen de refuser l'ordre de lever une armée, mais Antef ne lui en laisse pas le temps et insinue d'un ton mielleux :

« Tu sais ce qui arrive aux gouverneurs qui trahissent leur souverain ? »

Ramose l'interroge des yeux. Antef continue son explication.

« Toute personne qui complote avec la rébellion thébaine est envoyée dans les mines du désert. »

Puis il ajoute avec un sourire :

« Il fait très chaud dans les mines du désert... Et le travail y est très dur. »

Le nomarque ferme à nouveau les paupières. Antef ajoute encore :

« Quant à ton fils... »

Ramose frémit, rouvre des yeux brillants de tendresse et de crainte, et demande aussitôt d'une voix altérée :

« Que voulez-vous de moi ? »

Le commissaire royal éclate d'un gros rire :

« Te voilà devenu plus raisonnable ! Je t'ai déjà dit ce que nous voulons : que tu lèves une armée contre Ahmosis et que tu attaques Thèbes par le sud. »

Le nomarque, une dernière fois, tente de se dérober devant la requête des étrangers.

« Il faut beaucoup d'or pour lever une armée. Ici personne n'aime se battre contre Thèbes et le dieu Amon. Il faudra payer très cher.

— Je te donnerai tout l'or dont tu auras besoin », dit le prince en riant.

Ramose le dévisage avec la plus grande surprise :

« Le souverain hyksos est si riche que cela ? J'ai entendu dire que... »

Le commissaire royal lui coupe la parole :

« Tu ferais mieux de t'occuper de tes affaires. On trouvera l'or là où il se trouve. »

Antef sourit avec malice en répétant :

« Là où il se trouve. À sa source la plus abondante et la plus fraîche.

— Où est la source de l'or ? » demande précipitamment Tétiki.

Antef et le commissaire royal éclatent de rire.

« Il y a trop de curiosité dans le cœur de ton fils, Ramose ! » constate le prince hyksos avec reproche.

Ramose lève un visage douloureux vers Tétiki et lui dit :

« Laisse-nous. Il est tard. Cette conversation n'est pas de ton âge. »

Didiphor saute sur l'épaule du garçon qui s'incline et sort de la salle du festin.

Dans le jardin, loin de la chaleur des lampes à huile, l'air est frais et doux. Un léger vent fait bruire les feuilles. La lune est levée depuis longtemps déjà. Mais la douceur de la nuit n'apporte pas la paix au cœur de Tétiki. Il brûle de colère contre la requête des étrangers, l'arrogance de leurs ambitions, l'impudence de leurs menaces. Non ; il ne laissera pas son père lutter seul contre les envahisseurs. Mais, déjà, Penou le presse de questions.

Penou est superstitieux et coquet. Pendant que se déroulait l'inquiétante scène du dîner, il a mis des bracelets à ses bras et à ses chevilles et accroché à son cou des amulettes qui conjurent le mauvais sort : un vautour et un cobra pour avoir la force de Pharaon, une pousse de papyrus pour garder la jeunesse, une croix ansée pour rester en vie et un petit cœur en argent pour garder la jouissance de ses mains et de ses jambes. Comme, malgré tout, son cœur restait lourd, il s'est mis à jouer du sistre, sorte de hochet de métal qui a la réputation de chasser le chagrin. C'est l'instrument de sa déesse préférée, la déesse Hathor, qui aime la joie, la danse et la musique.

Enlevé à sa famille à l'âge de treize ans, vendu successivement à plusieurs caravanes, le nain pygmée craint toujours d'être échangé contre un panier de dattes et une perruque frisée et de redevenir esclave. Aussi tourne-t-il maintenant autour de Tétiki, répétant sans cesse la même question :

« Ton père me donne au prince hyksos ? Je vais redevenir esclave ? C'est bien cela ? »

Comme Tétiki semble ne pas l'entendre, il insiste avec anxiété :

« Dis-moi la vérité, Tétiki. Je n'aurai pas peur, tu sais. J'irai dans le désert et j'attendrai les chacals affamés. Ce n'est pas si terrible d'être dévoré... »

Tétiki l'interrompt brutalement :

« Où est la source de l'or ? »

Le nain le dévisage avec stupeur :

« Qu'est-ce que tu as, Tétiki, tu es malade ?

— Je te demande où se trouve la source de l'or. Tu as beaucoup voyagé, entendu beaucoup d'histoires, tu connais certainement ce secret. »

Penou a l'air épouvanté.

« Je ne comprends rien à ce que tu dis. Ce sont des paroles d'homme ivre. »

Tétiki pose ses mains sur les épaules de son ami et lui parle d'un ton solennel :

« La situation est très grave. Je dois aider mon père. Je dois savoir où se trouve l'or. Et toi, tu sais où il se trouve. »

Penou regarde fixement son ami.

« Ce que je sais, c'est que le danger arrive sur toi comme une tempête de sable. »

Tétiki, furieux de l'obstination du nain, se détourne brutalement et se dirige vers la demeure du nomarque en disant :

« Garde tes secrets. Je me débrouillerai sans toi. Je ne veux plus te voir. »

Et il rentre dans la maison et claque la porte.

Le bruit fait sursauter Penou qui embrasse ses amulettes et implore sa déesse favorite :

« O Hathor ! protège Tétiki de cette folie soudaine qui s'est emparée de son cœur. »

2

Tétiki se fait
un ennemi mortel

Dans le jardin intérieur, clos par des murs de brique
et planté de dattiers, de palmiers et de vignes sur
treilles, Penou, confus et hésitant, s'approche de
Tétiki. Accroupi autour du bassin où nagent des poissons le garçon pousse des feuilles de lotus avec un
long bâton. Tétiki fait semblant de ne pas voir le nain,
mais lui adresse cependant la parole :

« Tu viens me dire où se trouve l'or ?

— Raconte-moi d'abord tout ce qui s'est passé »,
demande Penou.

Et Tétiki répète, mot à mot, la conversation qui a
eu lieu entre son père et les Hyksos.

« J'ai bien regardé le visage de mon père, conclut-

il. Il veut me protéger. Mais quand le commissaire royal apportera l'or, il sera obligé de lever une armée contre Thèbes.

— Les choses auront peut-être changé, hasarde Penou.

— Non, répond Tétiki indigné. Les choses ne changent jamais toutes seules. Et les envahisseurs ne partiront pas tout seuls si personne ne les chasse. »

Penou essaie encore une fois de déplacer le sujet de la conversation :

« J'irai dans le temple de la déesse Hathor. Je lui apporterai des figues et des colliers. Je lui demanderai de t'enlever l'inquiétude du cœur.

— Mais réponds à la fin, fait Tétiki avec colère. Le commissaire royal a dit : "On trouvera l'or là où il se trouve." Où se trouve-t-il ? »

Le nain se met brusquement à trembler, ce qui fait tinter tous ses bracelets. Puis il murmure très vite :

« Tout le monde sait où se trouve l'or. Tout le monde sait aussi qu'on doit le laisser là où il est si on veut éviter la colère des dieux.

— Tu veux que mon père fasse la guerre contre Ahmosis ? » interroge Tétiki d'un ton méprisant.

Penou regarde Didiphor qui le fixe d'un air grave et fâché. Le nain finit par avouer à regret :

« L'or se trouve dans les demeures d'éternité.

— Tu veux dire dans les tombes ? demande Tétiki abasourdi par cette révélation.

« — Le malheur fond sur nous comme un vautour, marmonne le nain.

— Tu veux dire qu'ils vont piller une tombe pour donner l'or à mon père ? » reprend le jeune garçon qui n'en croit pas ses oreilles.

Penou hoche la tête tristement. Tétiki veut en savoir davantage :

« Antef a dit : "À la source la plus abondante." Quelle est la source la plus abondante ?

— C'est la tombe d'un pharaon.

— Et la source la plus fraîche ?

— C'est le dernier pharaon enterré.

— Taa le Brave ! s'exclame Tétiki. La tombe de Taa le Brave ! »

Le pharaon Taa a conquis sa glorieuse réputation en luttant héroïquement contre les étrangers. Il est mort sur le champ de bataille, couvert de blessures. On répète, le long du Nil, qu'Ahmosis a mis dans son tombeau des trésors fabuleux pour que le ka du valeureux pharaon le soutienne dans sa lutte contre les ennemis.

« Il faut tout de suite le dire à mon père, dit Tétiki.

— Ton père a certainement compris, répond Penou. Il gagne du temps. Il n'y a rien d'autre à faire. »

Tétiki reste songeur. Il finit par dire :

« Je vais réfléchir. Je te retrouverai tout à l'heure. Viens, Didiphor. »

Et le singe et son maître disparaissent en sautant par-dessus le mur du jardin.

Tétiki et Didiphor se dirigent vers le sud de l'île Éléphantine. La lune a déjà parcouru la moitié de sa course et le silence est total, entrecoupé par les ululements d'une chouette. Malgré l'obscurité, le garçon marche vite. Il connaît le chemin par cœur. Il atteint rapidement la pointe sud de l'île. On distingue à peine dans le fleuve les rochers noirs qui forment ce qu'on appelle la première cataracte. La première cataracte marque la frontière de l'Égypte. Au-delà, s'étendent des déserts inconnus et menaçants d'où arrivent, de temps en temps, des caravanes chargées de pierres rares, de minerai de cuivre, de parfums, et quelquefois de précieux nains dansants. Parfois aussi, ce sont des hommes armés, venus de Nubie, qui franchissent la frontière, et c'est alors la terreur dans Éléphantine.

Tétiki tourne et retourne dans sa tête les stupéfiantes révélations si difficilement extorquées à Penou. Mais que faire ? Tétiki décide d'interroger son ka.

Le ka est le double invisible de chaque être humain. C'est lui qui dirige les pensées et les actions des hommes. Lorsqu'on l'interroge, il faut se concentrer avec une extrême attention et bien regarder et écouter autour de soi. Alors il se produit toujours quelque chose qu'on peut interpréter comme la réponse du ka.

Tétiki s'adresse à son ka sous un sycomore, car le sycomore est un arbre sacré. Assis par terre, les jambes croisées dans la position du scribe, le petit babouin entre ses genoux, il récite la formule habituelle :

« Je viens à mon ka en toute confiance pour qu'il m'éclaire sur les décisions que je dois prendre. O mon ka, inspire mes paroles et dirige mes actes selon la justice de la déesse Maat. »

Puis Tétiki ouvre ses yeux et ses oreilles pour ne rien perdre de ce qui se passe autour de lui. Après un long moment d'attention il distingue, sur un rocher de la première cataracte, une lumière qui s'allume et se balance régulièrement de gauche à droite. D'autres lumières s'allument sur le rivage du fleuve tandis que s'élève dans la nuit une voix qui entonne un chant d'allégresse. C'est que la lumière annonce le commencement de la crue du Nil. Car tous les ans, dans la deuxième moitié du mois de juin, le débit du fleuve augmente considérablement. On dit que c'est Hapy, le dieu du Nil, qui ouvre les portes de sa caverne cachée dans les rochers et lance les flots montants sur le pays d'Égypte.

Maintenant des silhouettes innombrables courent vers le fleuve et reprennent en chœur le chant d'allégresse. Il raconte la bienfaisante inondation qui arrose les champs et recouvre le sol d'un limon fertile qui fait la richesse de l'agriculture. Tétiki se sent gagné par la jubilation ambiante. Le début de l'inondation est le signe qu'il attendait. Il suivra l'appel du fleuve, il partira vers le nord, rejoindra Thèbes et préviendra le pharaon du pillage de la tombe de Taa. Son cœur bat dans sa poitrine d'une nouvelle exaltation et l'avenir lui paraît flamboyant comme l'aurore.

C'est en vain que Penou argumente pour le détourner de son projet.

« Je suis décidé, lui répète Tétiki. Je pars demain matin pour Thèbes. Il n'y a pas de temps à perdre. Je profiterai de la crue du Nil qui entraîne vite les bateaux vers la mer.

— Que feras-tu là-bas ?

— Je préviendrai le pharaon Ahmosis des menaces qui pèsent sur Thèbes et du pillage de la tombe de Taa. Comme cela, les Hyksos ne trouveront point l'or et mon père ne lèvera pas une armée. »

Penou est consterné par tant de naïveté. Ce projet lui paraît aussi irréalisable que dangereux :

« Comment trouveras-tu un bateau pour t'emmener à Thèbes ? Comment parleras-tu à Pharaon ? Qui te croira ? Partout il y a des espions ennemis. Le moineau ne peut lutter contre le faucon.

— Cela ne sert à rien de discuter, répond Tétiki. Je pars demain matin. Si tu veux venir avec moi, sois au port à l'heure où le soleil se lève. J'ai une dernière visite à faire cette nuit. »

Dans la barque de papyrus, Tétiki et Didiphor traversent le Nil vers la rive ouest du fleuve. Elle est totalement désertique, surmontée d'un rocher abrupt, légèrement arrondi. On discerne, à la clarté de la lune, de petits temples construits sur les tombes creusées dans la falaise. C'est là qu'est enterrée la mère de Tétiki, morte il y a cinq ans d'une maladie bizarrement nommée « maladie pour laquelle on ne peut rien ».

Le garçon ne veut pas partir sans demander la protection maternelle. Il vient de lui écrire une lettre, après avoir emprunté au scribe de son père une sorte de plumier, appelé une palette, qui contient des roseaux effilés et deux godets d'encre rouge et noire. Il a écrit :

« Écoute-moi, mère, dans ta demeure d'éternité. J'entreprends un grand voyage pour la gloire d'Amon-Rê et celle de son fils Pharaon. Que ton ka me protège pendant les douze heures du jour et les douze heures de la nuit contre les pièges des ennemis. »

Mais Tétiki sait que sa mère est de nature distraite et que parfois les morts oublient de lire les lettres qui leur sont adressées. Pour prévenir cette négligence, il a déposé son message dans un panier, avec des pigeons, de l'ail et des oignons, du parfum et un bra-

celet. Ainsi, soit par gourmandise, soit par coquetterie, elle sera bien obligée de trouver la lettre de
son fils.

C'est toujours avec émotion que Tétiki pénètre
dans la petite chapelle du tombeau. Elle est entièrement peinte et des inscriptions sur les murs
demandent la protection des dieux en rappelant les
vertus de la défunte. Tétiki dépose son panier sur la
table d'offrande devant la statue de sa mère. Puis il
la regarde longuement. Il ne peut plus détacher ses
yeux de son visage empreint de douceur, de sa silhouette gracieuse, et il lui semble entendre sa voix lui
racontant l'histoire des dieux quand il tardait à
s'endormir.

Il se sent soudain très seul et s'assied sur le sol, en
proie à un brusque découragement. Son indignation
contre les Hyksos, le fiévreux emballement dans
lequel il envisageait son voyage sont retombés. Le
départ vers le nord lui apparaît téméraire, impossible,
irréel. Une peur obscure lui serre le cœur. Il n'a plus
envie d'aller à Thèbes. Il veut rester à Éléphantine
près de sa mère, continuer à chasser les oiseaux, à
effrayer les oies avec Didiphor, à rire avec les servantes. Il veut rester un enfant et ne jamais grandir.
Pendant un long moment, en proie à une torpeur
triste, il reste immobile, comme endormi les yeux
ouverts.

Didiphor connaît bien ces moments de désarroi

pendant lesquels l'esprit de son maître semble plongé dans une profonde rêverie. Dans sa sagesse il se garde habituellement de l'interrompre. Mais aujourd'hui le temps presse et la situation est grave. Aussi, lorsqu'il remarque que les étoiles s'éteignent l'une après l'autre dans le ciel et que les oiseaux reprennent leur babillage matinal, il décide d'intervenir. Sautant sur les épaules de Tétiki, il lui gratte doucement les cheveux pour le tirer de son hébétude. Le garçon secoue la tête. La honte de sa faiblesse lui brûle les joues et il n'ose plus regarder le visage de sa mère. Il referme vivement la porte de la chapelle et se précipite en courant vers le fleuve.

Dans le port d'Éléphantine, un homme se faufile dans l'ombre. Il boite. De temps en temps, il se retourne pour regarder autour de lui, ou bien il scrute le fleuve en plissant les yeux. Mais rien ne bouge sur le Nil. Les felouques, leur unique voile repliée, dressent leurs mâts immobiles sur le ciel pâle de l'aube. L'homme se glisse entre les cabanes de pêcheurs recouvertes de roseaux séchés. Puis il s'arrête devant une petite maison basse et frappe à la porte en disant :

« Par Seth !

— Entre », lui répond-on.

L'homme pousse la porte et salue le commissaire royal inconfortablement assis sur un tabouret.

« Tu es en retard, Antef, lui dit-il.

— J'ai surveillé le port, pour m'assurer que personne ne m'a suivi.

— La méfiance habite ton cœur depuis le jour de ta naissance.

— C'est ce qui fait la valeur de mes services », répond ironiquement le préposé aux soldats.

Le commissaire royal sourit d'un air fat. Il aime bien se moquer de la figure sinistre de son subordonné. Puis il reprend le ton autoritaire qu'il affectionne :

« Le marin t'attend. Tu reconnaîtras la felouque à sa voile. Je veux l'or dans un mois. Tu me l'apporteras à Avaris.

— Tu l'auras », répond Antef

Le commissaire royal lui tend alors un papyrus roulé, fermé avec le sceau d'Apopi, le souverain hyksos.

« Tu ne l'ouvriras que lorsque tu seras à Thèbes. S'il t'arrivait malheur, que ce papyrus ne tombe en aucune main. Le souverain a dépensé beaucoup d'or pour avoir ces renseignements.

— Ne crains rien. Je l'avalerai s'il le faut. »

Mais le commissaire royal insiste :

« Si tu échoues, ma vengeance sera implacable. »

Et il sourit à nouveau d'un air béat et se dirige vers

la porte. Avant de partir, il se retourne une dernière fois :

« Attends que j'aie quitté le port pour sortir. »

Antef glisse le papyrus dans sa ceinture et attend quelques instants avant de quitter la cabane à son tour.

Le jour commence à poindre. Sur une felouque, un marin monte une voile sur laquelle est peint le scarabée hyksos. Antef marche dans sa direction. Mais, à peine a-t-il fait dix pas qu'un boomerang s'abat sur sa nuque. Il chancelle et s'effondre sur le sol. Aussitôt Tétiki et Didiphor sortent de l'ombre où ils se tenaient dissimulés et s'avancent vers le préposé aux soldats. Didiphor saute sur le corps allongé en battant des mains tandis que Tétiki s'empresse de prendre le papyrus. Il l'ouvre, le lit, le relit plusieurs fois car le texte en est énigmatique :

« Dans le temple souterrain, il tient dans sa coiffe rouge l'image mutilée de Seth. »

Tétiki répète la phrase pour la savoir par cœur et pour en déchiffrer le sens.

« Je comprendrai plus tard, dit-il. Allez, viens, Didiphor, cette felouque au scarabée hyksos s'impatiente en nous attendant. »

Le garçon s'approche du marin qui le regarde d'un air surpris et méfiant :

« As-tu un signe de reconnaissance ? lui demande-t-il. J'attendais un homme qui boite.

— Il y a eu un changement, répond Tétiki avec autorité, en tendant le papyrus au marin.

— Je ne sais pas lire », fait l'homme d'un ton boudeur.

Alors Tétiki déplie le papyrus et lit à haute voix :

« Au nom de Seth et de son fils Apopi, souverain des Hyksos, emmène ce garçon à Thèbes aussi vite que l'anguille du Nil.

— C'est bon », dit le marin.

Et il se met à lever l'ancre.

Derrière les montagnes de granit filtrent les premiers rayons du soleil, et les nuages blancs de l'aurore se déchirent lentement pour s'éloigner vers l'horizon. Tétiki jette un dernier regard tendre sur son île, lorsqu'il entend un grand tintamarre de breloques et de grelots. Sur la rive, il voit courir une sorte d'épouvantail rond : c'est Penou, surchargé de vêtements, de perruques, d'instruments de musique, de paniers pleins de bijoux de faïence et de parfums. Le nain avance presque sans rien voir et finit par buter sur un obstacle imprévu. Il s'étale de tout son long sur le corps d'Antef dans un grand bruit de sistre.

Tétiki pose avec fermeté sa main sur le bras du marin en train de relever l'ancre.

« Attends un instant. Je dois emmener un nain dansant pour l'offrir à Apopi. Nous partirons dès qu'il sera à bord. »

Tétiki rit en silence en voyant Penou se relever maladroitement et courir jusqu'au bateau, moitié riant, moitié pleurant. Aussitôt, l'embarcation quitte le port.

Antef, que le choc et le bruit ont tiré de son évanouissement, lève alors sa tête douloureuse. À travers les étoiles qui dansent devant ses yeux, il entrevoit au loin un nain, un singe et un jeune garçon qui s'éloignent sur sa felouque.

« Que le crocodile t'attaque sur l'eau, que le serpent t'attaque sur la terre », murmure-t-il.

Et il s'évanouit à nouveau.

« Encore, hurle le commissaire royal, les yeux exorbités de colère. Encore cent coups. »

Les bâtons des deux gardes recommencent à tomber, en rythme régulier, sur le dos d'Antef, couché sur le sol, les bras repliés sous la poitrine. Un garde se tient devant sa tête, l'autre derrière ses pieds.

La bastonnade est publique et se déroule sur la grande place d'Éléphantine. La foule, se tenant à bonne distance, contemple le spectacle dans un silence absolu. Antef relève la tête pour parler :

« Arrêtez, dit aux gardes le commissaire royal. Il va avouer. »

Et il s'approche de son subordonné.

« Alors, tu avoues ?

— Je te dis que je ne suis pas coupable. On m'a fait le coup du boomerang ! » dit Antef.

Un murmure parcourt aussitôt l'assistance. Tous connaissent l'extraordinaire adresse du fils du gouverneur.

« Un homme aussi méfiant que toi ne se laisse pas voler une felouque et un papyrus par un nain et un enfant !

— Par Seth, je te jure que je ne t'ai pas trahi, répète le préposé aux soldats.

— J'aurais dû me méfier de toi depuis longtemps, répond le prince hyksos. Le mensonge a envahi ton cœur le jour de ta naissance. »

Antef tente une dernière fois de convaincre le commissaire royal :

« Je te jure que je ne t'ai pas trahi. Je te le prouverai. Laisse-moi partir. Je les rattraperai. J'arriverai à Thèbes avant eux. Je te ramènerai l'or. »

Mais la fureur et la crainte de la colère d'Apopi rendent le prince hyksos incapable de réfléchir.

« Je t'avais dit que ma vengeance serait implacable ! Frappez-le à mort », ordonne-t-il aux gardes.

Puis, voyant les bâtons retomber sur le dos de son subordonné, il se caresse la barbe en souriant d'un air béat et s'éloigne.

À peine a-t-il disparu que la foule se rapproche et fait cercle autour d'Antef.

« Maudit soit l'envahisseur ! murmure-t-on.

— Pour une fois le bâton change de dos ! dit un joyeux pêcheur.

— Que le pharaon Ahmosis vous écrase tous ! dit un troisième.

— Que la colère du dieu Amon vous anéantisse ! » dit un quatrième.

Puis le silence se fait soudainement, car Antef pousse un cri terrible, ouvre la bouche, lève les yeux avec fixité, arrête de respirer et s'effondre sur le sol.

« Il est mort, dit un garde en relevant son bâton.

— Il est mort, répète l'autre garde.

— Il est mort », reprend la foule.

Les gardes s'éloignent aussitôt pour rendre compte du succès de leur travail. Quant à la foule, qui aime le châtiment mais craint la mort, elle se disperse rapidement.

Antef reste seul au milieu de la place et reprend sa respiration. Il pense avec une joie maligne que les hommes sont des animaux bien stupides qui se fient aux apparences. Son dos le fait souffrir. Mais plus forte que la douleur est l'humiliation. Et bien plus fort que l'humiliation est son désir de vengeance. Car sa vengeance à lui sera autrement plus implacable que celle du commissaire royal. Le fils du nomarque apprendra bientôt ce qu'il en coûte de jouer au boomerang avec Antef.

À la tombée de la nuit, quand les gardes reviennent pour ramasser son cadavre, le préposé aux soldats a disparu.

3

La rive droite de Thèbes

La felouque s'est engagée dans une boucle du Nil au creux de laquelle se tient, sur la droite, au-dessus des champs inondés par le fleuve, Thèbes, la royale ville du Sud, la capitale de la quatrième province. Un rempart de briques l'entoure totalement, dissimulant ses maisons et ses palais. Seules émergent au-dessus de la muraille les couronnes en éventail des palmiers, regroupées, ici et là, comme de gros bouquets verts. Plus au nord se dresse le pylône du temple de Karnak, immense mur de pierre partagé en son milieu par une large échancrure rectangulaire qui s'ouvre sur le ciel.

« Je te laisse en amont de la ville, dit le marin. Ce serait trop dangereux d'aller plus loin.

— C'est entendu comme cela », répond Tétiki avec une assurance feinte.

En réalité, le garçon se sent désorienté. Il a imaginé Thèbes, austère et silencieuse, entièrement préoccupée par la lutte contre l'envahisseur. Et il découvre avec stupeur des gens qui rient et qui chantent dans de petites barques décorées de fleurs de lotus ou de fleurs de papyrus. Certains sont en train de pêcher. D'autres s'amusent à la lutte navale : le jeu consiste à se tenir debout dans sa barque, un long bâton à la main, et à pousser son adversaire jusqu'à ce qu'il tombe dans l'eau.

Le marin baisse sa voile pour ne pas attirer l'attention et rame jusqu'au rivage. Ses passagers débarquent dans un champ. Puis la felouque repart vers le nord.

« Qu'est-ce que nous allons faire maintenant ? demande Penou.

— Je vais aller au temple d'Amon. Là je trouverai certainement un prêtre qui m'expliquera comment je peux avoir une audience avec Pharaon », répond tranquillement Tétiki.

Penou hoche la tête d'un air peu convaincu. Il pense que Tétiki a une manière bien à lui de présenter les projets les plus extravagants comme des choses

44

simples, faciles et ordinaires. Mais il ne dit rien. Tous deux se dirigent vers la ville.

La surprise de Tétiki est à son comble quand il arrive au pied du pylône du temple. Car sur la place, devant la maison du dieu Amon, s'étale une véritable foire : des marchands ambulants vendent des pastèques, des grenades, des raisins et des figues. D'autres plument des cailles et des canards qu'ils font ensuite griller et que les passants dévorent à pleines dents. Des boulangers, des fabricants de bière ou de vin échangent leurs marchandises contre un pagne, un collier de céramique, une pièce de tissu, une paire de sandales. Des étrangers, reconnaissables à leur corps élancé et osseux et à leur visage allongé, proposent des produits exotiques aux vertus miraculeuses : des baumes de jouvence qui empêchent les cheveux de blanchir, qui effacent les rides ou bien guérissent toutes sortes de maladies de peau. Partout on joue de la musique.

Penou se croit plongé dans un monde enchanté :

« Je fais un rêve, Tétiki. Un rêve envoyé par la déesse Hathor.

« Tu m'entends, Tétiki, je fais un rêve. »

Mais Tétiki ne prête aucune attention à ses propos tant il est absorbé dans ses pensées. Découragé par le mutisme de son ami, Penou s'éloigne dans la foule à la recherche de compagnons plus joyeux.

« Penou, reste avec moi, sinon on va se perdre », lui crie Tétiki.

Mais le nain, trop excité par ce qui l'entoure, ne se retourne pas et disparaît derrière un groupe de musiciens.

Près de la porte du temple se tient une femme, jeune, assise sur un tabouret, des sandales aux pieds, une longue robe de lin attachée sous la poitrine. Elle porte des petites tresses qui descendent jusqu'aux épaules. Debout, derrière elle, un porte-parasol la protège du soleil et un porte-éventail agite des plumes d'autruche pour rafraîchir son visage, car il fait très chaud. Des hommes s'inclinent en passant devant elle, et elle leur rend un léger sourire condescendant.

Intriguée par ce garçon qui reste planté au milieu de la place comme un pin parasol, elle lui fait signe de s'approcher d'un mouvement gracieux de sa main couverte de bagues.

« Je te regarde depuis un moment, mon garçon, et tu as l'air plus stupéfait que le poisson dans le filet du pêcheur. »

Sa voix est chaude et rocailleuse et Tétiki se sent soulagé de trouver, dans toute cette agitation, quelqu'un à qui se confier. Il pense qu'une femme si belle, si élégante, si connue, pourra certainement le renseigner.

« Je dois parler à un prêtre d'Amon dès aujourd'hui. Peux-tu me dire comment je peux en rencontrer un ?

— Dès aujourd'hui ! s'exclame la femme en riant. Mais, par Osiris, d'où viens-tu pour être si ignorant ?

— De la première cataracte. Mon père est nomarque d'Éléphantine.

— Mais qu'est-ce que les scribes t'ont appris à Éléphantine ? » demande la femme d'un ton moqueur.

Tétiki, un instant troublé par l'ironie de son interlocutrice, s'explique davantage :

« Je ne connais pas Thèbes et je dois parler à un prêtre. C'est important. »

La femme n'a pas le temps de répondre, car on entend un roulement de tambour. Tout le monde tourne la tête vers le pylône pour regarder la lourde porte du temple, tout incrustée d'or, qui s'ouvre lentement sur un impressionnant cortège.

En tête s'avance un joueur de tambourin.

« Qu'est-ce qui se passe ? chuchote Tétiki à l'oreille de la femme qui rit à nouveau.

— Un nouveau-né en sait plus long que toi le jour de sa naissance ! Aujourd'hui commence la fête d'Amon. »

Tétiki rougit de confusion et regarde à nouveau vers le temple. Derrière le joueur de tambourin s'avancent les prêtres, facilement reconnaissables à leur crâne rasé et à la peau de panthère qu'ils nouent sur une épaule et qui retombe sur leur grand jupon de lin. Les uns jettent du sable autour d'eux, d'autres brûlent dans un encensoir de la résine de térébinthe dont l'odeur lourde, sous la chaleur, monte à la tête.

Derrière les prêtres, soutenue par des porteurs en si grand nombre qu'ils ressemblent à un mille-pattes géant, apparaît la barque d'Amon. Elle est décorée, à la proue et à la poupe, par une tête de bélier. Au milieu de la barque se dresse la statue du dieu : il est recouvert d'un voile blanc, car Amon est le dieu qui doit rester caché. Il est suivi par son épouse, la déesse Mout, dans une barque décorée par deux têtes de femme aux cheveux recouverts d'ailes de vautour, puis par son fils Khonsou, dans une troisième barque ornée de têtes de faucon.

Tétiki se penche à nouveau vers la femme :

« Combien d'heures dure la fête d'Amon ?

— D'heures ? dit-elle surprise. Mais elle dure vingt-quatre jours. »

Puis, d'un geste agacé, elle lui fait signe de se taire. De ses yeux vifs elle examine le défilé, attentive aux moindres détails, pour les graver dans sa mémoire.

Tétiki est abasourdi :

« Vingt-quatre jours ! La fête dure vingt-quatre jours ! »

Tétiki interroge la femme à nouveau :

« Et pendant ce temps-là, que fait Pharaon ?

— Ah ! dit-elle d'un ton amusé, se retournant vers lui pour le dévisager avec plus d'attention. Parce que c'est Pharaon lui-même que tu veux voir ? On a la tête plus grosse que le soleil à Éléphantine ! »

Puis elle ajoute d'une voix radoucie :

« Eh bien, parle-lui, c'est facile, il est là ! »

Et elle tend le bras vers un homme qui, entouré de porte-éventails et de porte-parasols, suit à pied les barques divines.

« Pharaon ! C'est Pharaon ! » murmure Tétiki. Son cœur se met à battre violemment dans sa poitrine tandis qu'il dévore des yeux Ahmosis. C'est Pharaon, ce visage si jeune sous la grande couronne blanche ! Pharaon, ce visage si fier ! Il voudrait courir vers lui, lui raconter l'horrible projet des Hyksos, la menace qui pèse sur la tombe de Taa, il voudrait mettre à son service son cœur et sa vie, mais il reste cloué sur place. Les hommes battent des mains, les femmes lancent des fleurs de lotus et de papyrus, d'autres agitent des sistres. Mais Tétiki ne remarque plus rien. Il ne voit que la noble et élégante silhouette qui suit le cortège divin dans l'allée des sphinx jusqu'au canal.

La femme est étonnée par l'empressement du garçon à rencontrer un prêtre et par son intérêt pour Pharaon. Que cherche cet enfant avec tant d'obstination ? Que fait-il seul dans la capitale ? Profitant de son inattention, elle l'examine des pieds à la tête et remarque vite le papyrus dissimulé dans sa ceinture.

Elle le tire légèrement jusqu'à ce qu'apparaisse un fragment du sceau d'Apopi. Une ombre passe sur son beau visage. Elle attend un moment que Tétiki, emporté par le délire général, se mette à battre des mains en suivant Pharaon du regard, pour saisir doucement le précieux document qu'elle glisse dans l'échancrure de sa robe.

Sur le canal, quatre barques immenses, portant des statues de sphinx et de béliers, attendent leurs propriétaires.

Dans la première entre la barque portative d'Amon, dans la seconde, celle de Mout, dans la troisième celle de Khonsou, et dans la dernière enfin monte Pharaon. Des soldats en uniforme, vêtus du pagne militaire, tenant leurs piques à la main, commencent à remorquer les barques jusqu'au fleuve. La foule suit le cortège et le calme revient progressivement sur la place du temple. On referme la lourde porte monumentale du pylône : le temple doit rester fermé pendant vingt-quatre jours.

« Où va Pharaon ? demande Tétiki.

— Décidément tu es aussi borné qu'une oie du Nil, constate la femme en soupirant. Pharaon consulte son père Amon sur ce qu'il doit entreprendre. Et il le divertit de danses et de chants pour s'attirer ses faveurs.

— Et après, il partira faire la guerre ? »

La femme le dévisage longuement :

« Veux-tu un conseil, mon garçon. Retourne chez ton père. Thèbes est une ville dangereuse pour les enfants ignorants. Retourne à Éléphantine et ne reviens... que lorsque tu auras bien écouté la leçon des scribes ! Par Osiris, que tu me fais rire ! »

Et elle éclate à nouveau de ce grand rire qui fait mal au cœur de Tétiki. Puis, sans s'intéresser davantage à son interlocuteur, elle fait signe à un serviteur de venir lui enlever ses sandales. Tétiki la regarde s'éloigner, suivie du porte-parasol et du porte-sandales qui tient à la main les chaussures trop précieuses pour être usées par la marche.

La femme se retourne une fois pour le regarder. Sous l'amande parfaite de ses paupières, son regard est si perçant que le garçon est saisi d'effroi. C'est alors qu'il s'aperçoit qu'on lui a volé le papyrus d'Antef.

Penou n'a jamais vu une fête aussi magnifique. Il parcourt les rues de Thèbes, s'arrêtant à tous les étalages. En échange de quelques pirouettes, on lui donne un petit pain croustillant, ou bien de la boutargue, sorte de caviar fait d'œufs de mulet compressés ou une poignée de dattes. Mais ce qui le fascine le plus est l'étalage des bijoutiers.

Un marchand, le voyant passer et repasser d'un air gourmand devant la table de bois sur laquelle sont

posés colliers, bagues et bracelets, décide de profiter de la visible coquetterie du pygmée. Le bijoutier se dit qu'un nain qui danse attire toujours la foule, et que dans une foule, il y a toujours des acheteurs qui ne résistent pas à la séduction des bijoux. Il interpelle donc Penou :

« Veux-tu danser pour moi ? Je te ferai un cadeau. »

Penou, ravi par cette proposition, étudie attentivement les bijoux du marchand et finit par montrer du doigt un collier rouge fait de trois rangs de grains de cornaline.

« Je veux ce collier-là. »

Le marchand fait la moue et prend un air indigné :

« Mais il vaut très cher !

— Moi aussi je vaux très cher, répond fièrement Penou. Je sais danser la danse du soleil. »

Le marchand hésite un instant : le collier vaut cher en effet mais la danse du soleil est un spectacle rare et apprécié qui lui amènera sûrement une clientèle nombreuse. L'affaire lui paraît intéressante.

« C'est entendu, dit-il. Danse et je te donnerai ton collier. »

Penou prend ses crotales, sortes de castagnettes qu'il porte toujours attachées à la taille, et, claquant ses doigts avec une agilité merveilleuse, commence à attirer la clientèle. Il est rapidement entouré par un grand nombre de badauds. Alors, il commence la danse du soleil. En longues ondulations, il mime l'eau primordiale, avant le commencement de la vie. Puis, se ramassant sur lui-même, il roule comme le premier œuf de l'univers sur les flots monotones. Soudain, dans un grand bruit de crotales, il saute en l'air, faisant d'incroyables pirouettes acrobatiques : c'est le jeune soleil qui s'échappe de l'œuf où il est enfermé pour s'élancer à l'assaut du ciel. Penou tourne de plus en plus vite et les bracelets de faïence peinte, qui entourent ses chevilles et ses poignets, tracent dans l'air de grands cercles multicolores. Puis il s'arrête, essoufflé, en saluant joyeusement la foule.

Le bijoutier ne s'est pas trompé : les spectateurs débordent d'enthousiasme. Les enfants, pour ne rien perdre du spectacle, ont grimpé dans les arbres, ou se sont juchés sur les murs des jardins, tandis que les plus jeunes se sont assis sur les épaules de leurs parents. Ils battent des mains pour féliciter le nain. Celui-ci se tourne vers le marchand :

« Donne-moi mon collier, maintenant, réclame Penou.

— Tout à l'heure, répond le marchand, bien décidé à profiter de cette aubaine. Il faut que tu danses encore. »

Et il lui tend une amphore de vin dont Penou, assoiffé, boit une longue rasade. Puis il se remet à danser. Il danse la course du soleil dans sa barque de jour quand il éclaire la terre, puis il danse la course du soleil dans sa barque de nuit, quand il disparaît dans le corps de la déesse Nout.

Penou s'arrête une nouvelle fois. Il fait très chaud. De grosses gouttes de sueur descendent sur son front et il se sent épuisé.

« Mon collier, demande-t-il au marchand.

— Bois, dit le bijoutier, cela te remettra d'aplomb. »

Et il lui tend l'amphore de vin.

Pendant ce temps, les Thébains, pour remercier le marchand du spectacle, lui offrent des fruits et des légumes ou bien viennent lui acheter sa marchandise.

« Danse encore, ordonne le bijoutier au nain.

— Oui, danse encore », réclament les badauds.

Le succès et le vin montent à la tête de Penou. Il se relève pour saluer les spectateurs, agite son sistre devant les yeux éblouis des enfants, et entame la lutte du soleil avec le monstre serpent. Car tous les matins et tous les soirs, un terrible serpent, nommé Apopi, attaque le soleil pour l'empêcher de continuer sa course et pour détruire l'équilibre du monde. Et tous les matins et tous les soirs, après un terrible combat, le soleil repousse le monstrueux serpent, remonte dans sa barque, continue d'assurer l'ordre du monde et le bonheur des Égyptiens.

Les applaudissements éclatent de tous côtés. Les enfants crient au bijoutier :

« Donne-lui son collier. Donne-lui son collier ou tu es un voleur. »

Puis ils scandent en rythme :

« Voleur... voleur... voleur. »

Aussitôt, quoique avec un regret visible, le bijoutier tend à Penou le collier de cornaline sous les hourras de la foule. Grisé par son succès, le nain salue à nouveau avec d'immenses sourires, puis reprend quelques longues gorgées de vin. Et tandis que le marchand s'occupe des nombreux clients qui l'entourent, étourdi par la fatigue, le soleil et la boisson, le nain s'éloigne en titubant.

Devant le palais du pharaon, deux soldats, profitant de la fête, se sont assis par terre pour jouer au jeu du serpent. Sur un damier de bois est dessiné le corps en spirale d'un serpent, découpé en petites cases. Chacun doit avancer son pion après avoir lancé les dés. Debout devant les soldats, Penou répète d'une voix pâteuse :

« Je veux voir Pharaon.

— On te dit qu'il est à la fête de son père Amon, dit le premier soldat.

— Je veux voir le grand vizir ! reprend Penou.

— Tu vas nous laisser tranquilles. Tu es soûl ! » dit le deuxième soldat.

En effet, Penou se tient difficilement sur ses jambes et tangue de gauche à droite. Il insiste cependant :

« Je veux voir Pharaon. On va piller la tombe. »

Le deuxième soldat lance les dés et avance son pion.

« Tu ferais un fameux pilleur de tombe ! s'esclaffe-t-il.

— On va piller la tombe de Taa le Brave, précise Penou.

— Celui qui trouvera la tombe de Taa est toujours dans le ventre de sa mère », déclare le premier soldat, lançant les dés à son tour.

Mais Penou poursuit son idée fixe :

« On va piller la tombe de Taa le Brave pour prendre l'or. »

Le premier soldat s'adresse à Penou en riant :

« Et comment sais-tu ce grand secret de guerre ?

— Les Hyksos et Tétiki me l'ont dit.

— C'est un ami des Hyksos, Tétiki ? demande distraitement le premier soldat, à nouveau absorbé par le jeu.

— Oui, Tétiki est un ami. La source est abondante et fraîche.

— Il dit n'importe quoi, dit le deuxième soldat avec nervosité. Cela m'agace d'entendre parler de pillage de tombe. Allez, va-t'en », dit-il au nain.

Et pour mieux se faire comprendre, le deuxième soldat lui donne un coup de pied.

Mais Penou paraît n'avoir rien senti. Il répète, imperturbable :

« Je vous dis que la source de l'or est fraîche.

— Tu es ivre. Va-t'en, lui conseille gentiment le premier soldat. Tu vois bien que mon camarade devient nerveux. »

Mais Penou reste immobile, roulant ses yeux verts de tous côtés. Alors le deuxième soldat prend la pique posée à côté de lui sur le sol, la brandit et frappe le nain à l'épaule.

« Ça te dessoûlera », dit-il avec un méchant rire.

Penou regarde son épaule, sans comprendre ce qui lui arrive. Avec sa main, il caresse doucement sa blessure pour empêcher le sang de couler. Puis il balbutie :

« Je m'en vais. La source est fraîche. La source est très fraîche. »

Et il s'éloigne en vacillant.

Toute la nuit, Tétiki déambule dans la ville en fête en ruminant le bilan catastrophique de sa première journée : plus de nain, plus de prêtre, plus de papyrus. Il ne lui reste qu'à rentrer piteusement à Éléphantine puisque la capitale d'Ahmosis l'ignore et le rejette. Comment aurait-il pu imaginer que Thèbes la glorieuse se révélerait si hostile et Pharaon si inaccessible ! Toutefois, ses déceptions progressivement s'estompent devant le souvenir des Hyksos. Et l'indignation et le courage reviennent brûler son cœur.

Non, il ne laissera pas les étrangers vaincre Pharaon. Il luttera seul, s'il le faut. Oui, seul, le temps de la fête d'Amon. Et par tous les moyens. Même par celui-là qui paraît insensé mais qui est peut-être, qui est sans doute, qui est évidemment le seul moyen possible. Si hasardeux pourtant ! Et comportant de si redoutables dangers ! Et de l'hésitation à la crainte, de la crainte à la confiance, de la confiance au doute, Tétiki balance en des tergiversations interminables.

Pendant ce temps Didiphor, à la recherche de Penou, saute sur les petits murs de brique ou de limon qui entourent les maisons, pour fouiller les nombreux jardins de la capitale. C'est dans un enclos empli d'arbustes et de fleurs étranges qu'il finit par le découvrir endormi et blessé.

Tétiki le réveille :

« Qu'est-ce qui t'est arrivé ? demande-t-il alarmé. Tu es blessé ?

— Ah ! Je suis blessé ? fait Penou surpris en ouvrant des yeux ahuris.

— Tu es blessé à l'épaule. Pourquoi ? Qu'as-tu fait ?

— Je ne sais plus, bafouille Penou. Je ne me souviens plus de rien. »

Le nain dégage une forte odeur de vin et Tétiki fait la grimace.

« Tu as bu ?

— On m'a forcé à boire... je voulais ce collier. »

Et Penou exhibe avec fierté le collier de cornaline.

« On n'est pas venu ici pour faire des emplettes ! » remarque le garçon, furieux.

Vexé, Penou examine sa blessure. La plaie, mal cicatrisée, s'est remise à saigner au premier mouvement d'épaule.

« Demain je t'emmènerai chez le médecin », dit doucement Tétiki.

Puis il ajoute d'un ton énigmatique :

« Ce n'est pas le moment d'être malade. »

Il s'assied à côté de Penou et rejette sa mèche en arrière.

« Penou, en te cherchant à travers la ville, j'ai beaucoup réfléchi. »

Les yeux de Penou se ferment de sommeil et il écoute à peine son ami qui continue, imperturbable, à lui exposer ses conclusions :

« J'ai décidé ce que nous allons faire. Je sais que c'est très difficile, mais tu constateras certainement comme moi qu'il n'y a pas d'autre solution. »

Penou s'allonge confortablement sur le sol pour dormir. Tétiki lui secoue violemment le bras :

« Mais écoute-moi. Ce n'est pas le moment de dormir. Je vais partir dans la vallée des morts, et j'irai dans la tombe de Taa !

— Pour quoi faire ? demande le nain stupidement.

— Pour emporter le trésor et la momie.

— Tu es ivre, conclut simplement Penou.

— Je ne suis pas ivre. On m'a volé le papyrus d'Antef.

— Et alors ? demande Penou.

— Alors les Hyksos vont trouver la tombe. Et je dois la trouver avant eux.

— Tu deviens pilleur de sarcophage maintenant ?

— Je ne vais pas piller la tombe. Je vais seulement emporter les trésors et les mettre à l'abri. »

Penou, complètement dégrisé, bondit malgré sa blessure.

« Tu crois toujours que tout va s'arranger comme tu le désires. Résultat : que des malheurs ! En un seul jour j'ai été cruellement blessé et on t'a volé ton secret. Cela ne te suffit pas ! Il faut encore qu'on aille mourir dans le désert pour tes extravagances !

— Quand la fête d'Amon sera terminée, j'irai voir Pharaon et je lui dirai où j'ai caché le trésor », conclut Tétiki avec fermeté.

Penou est suffoqué par la colère :

« Tu ne diras jamais rien à Pharaon. Tu ne diras jamais rien à personne. Tu pourriras dans le désert et tu seras dévoré par les chacals. Et si tu n'es pas dévoré par les chacals, tu seras tué par les Hyksos. »

Le nain se rassied avec dignité.

« Je ne t'oblige pas à me suivre », répond Tétiki, la voix tremblante d'émotion.

Et il adresse à Penou ce sourire éclatant qui le rend

irrésistible, mais qui paraît ce soir voilé par une nouvelle gravité.

Les bruits de la fête se sont tus. Les deux amis restent silencieux, méditant sur la terrifiante entreprise. Tétiki examine longuement le ciel comme s'il cherchait dans l'harmonie de la voûte céleste la force de réaliser son projet.

Penou porte machinalement à ses lèvres les amulettes qui pendent à son cou. Il se demande pourquoi le malheur arrive toujours avec la férocité du vautour et la rapidité de la gazelle.

4

Préparatifs

C'est en cueillant des fleurs, au lever du soleil, qu'Imhotep découvre les trois compagnons endormis. Il les emmène dans sa maison. C'est une toute petite maison, construite en limon séché avec de la paille, dont l'unique pièce est d'un désordre indescriptible. Il y a des plantes de toutes formes et de toutes tailles, des pots remplis de liqueurs multicolores, des serpents qui macèrent dans du vin et des écailles de crocodile qui sèchent dans un coin.

Imhotep est un vieillard au regard plein de tendresse, portant d'abondants cheveux blancs coupés au ras des épaules. Il regarde attentivement la blessure qui saigne à nouveau, tandis que Penou roule des yeux effrayés. Le vieillard le rassure avec un sourire bienveillant :

« Par Amon qui t'envoie, ne crains rien, mon fils. Aucun malheur ne peut t'arriver dans la maison d'Imhotep. »

Puis il se tourne vers Tétiki :

« La blessure n'est pas profonde. Il sera guéri demain. »

Imhotep se dirige alors vers une petite table sur laquelle sont posées des figurines en terre cuite qui représentent tous les animaux de l'univers égyptien.

« Tu viens du désert, mon fils ? demande-t-il à Penou qui hoche la tête. Alors l'animal du désert te guérira. »

Imhotep choisit, parmi toutes les figurines, celle d'une hyène et se rapproche de Penou. Il lève la hyène au-dessus de son épaule et dit :

« Que le sang qui se déverse hors de ton corps reste à l'intérieur de tes veines. Et qu'à la place de ton sang, le sang de cette hyène se mette à couler sur le sable du désert de Nubie. »

Puis, après avoir touché l'épaule de Penou avec la figurine de la hyène, il va écraser dans un bol de la chair de poisson cru qu'il mélange avec du miel. Il revient poser la bizarre mixture sur la plaie de Penou.

« Tu seras bientôt guéri. »

Il ajoute, s'adressant à Tétiki avec douceur :

« Tu n'es pas de Thèbes, mon fils ?

— Non, je viens d'Éléphantine.

— Tu es ici sans famille ? sans amis ? »

Tétiki n'ose pas répondre. Il lui faut dorénavant se méfier de tout le monde. Il se contente de demander :

« Pouvons-nous rester un jour ou deux chez toi, le temps que Penou guérisse ?

— Ma maison appartient à mes amis », répond Imhotep.

Le soir, dans la maison d'Imhotep, mal éclairée par une seule lampe à huile, tous trois dînent de poisson cru et de fruits. Tétiki est taciturne. Penou raconte sa vie. Un coup frappé à la porte le fait sursauter. Imhotep se lève et fait entrer un jeune homme, d'environ vingt-cinq ans, à l'expression calme et secrète. Il s'adresse au vieillard :

« Je viens te voir, Imhotep, car ma mère souhaite que tu lui rendes visite demain. Son corps est empli de douleur.

— Je ne peux pas grand-chose contre la maladie de vieillesse. Mais j'irai la réconforter. Reste dîner avec nous, et raconte-nous ce qui se passe au village de la nécropole. »

Kanefer s'accroupit à côté de Penou.

« Qu'est-ce que le village de la nécropole ? demande le nain.

— C'est un village qui se trouve sur la rive gauche de Thèbes, la rive des morts, explique Imhotep. C'est là que demeurent les artisans qui travaillent pour les tombes. Ils vivent tout le temps là-bas et n'ont pas le droit de retraverser le Nil.

— Tu vas souvent sur la rive des morts ? demande Penou à Kanefer.

« — Je suis scribe au village de la nécropole, répond Kanefer.

— Seuls les scribes ont le droit de traverser le Nil pour venir chercher la nourriture et les outils dont les ouvriers ont besoin », ajoute Imhotep.

Les yeux de Tétiki brillent de curiosité :

« Tu connais toutes les tombes alors ? demande-t-il à Kanefer.

— J'en connais beaucoup.

— Tu connais les tombes des pharaons ?

— Je connais celles qui sont près du village.

— Tu connais la tombe de Taa le Brave ? »

Kanefer retire lentement une arête de sa bouche avant de dire de sa voix monocorde :

« Personne ne sait où se trouve la tombe de Taa.

— Et les ouvriers ? Ceux qui ont fait la tombe ? interroge Tétiki avec ardeur.

— Les ouvriers ont tous été envoyés dans les mines du désert afin de ne jamais pouvoir parler. »

Penou est indigné :

« Quelle cruauté !

— Ce n'est pas de la cruauté, c'est de la prudence. Sinon les Hyksos les auraient enlevés et torturés jusqu'aux aveux », explique Kanefer.

Le silence retombe dans la pièce. Puis le scribe parle à nouveau.

« La tombe est dans une vallée lointaine que seuls

Pharaon et le grand vizir connaissent. Le roi a dit qu'il voulait y être enterré.

— Ce sera une vallée pour les rois alors », dit Penou avec fierté. Imhotep sourit :

« Tu as raison, mon fils. S'il y a beaucoup de pharaons enterrés là, on l'appellera la vallée des rois. »

Tétiki, entêté, revient à son projet.

« On ne sait vraiment rien d'autre sur la tombe de Taa ? »

Kanefer lui jette un regard de méfiance.

Imhotep répète la question du garçon :

« Tu ne sais vraiment rien d'autre ? »

Kanefer hésite un moment.

« J'ai entendu dire...

— Qu'as-tu entendu dire ? demande Tétiki avec emportement.

— J'ai entendu dire que sur la porte d'entrée de la tombe on a peint le dieu Seth, les mains, les pieds et les oreilles mutilés.

— Ah ! fait Tétiki en se dressant d'un bond. L'image mutilée de Seth ? Tu as bien dit l'image mutilée de Seth ?

— Tu as bien entendu mon fils, confirme Imhotep.

— Et le temple, où est le temple souterrain ? demande le garçon en proie à une grande excitation.

— Quel temple souterrain ? » dit Kanefer.

Tétiki craint d'avoir montré trop d'impatience. Il veut garder secret le message du papyrus : « Dans le temple souterrain, il tient dans sa coiffe rouge l'image mutilée de Seth. » Aussi retourne-t-il s'asseoir pour demander plus posément :

« Il n'y a aucun temple dans le désert de l'Ouest ?

— On dit qu'il y a cinq cents ans un pharaon en a construit un, répond Kanefer. C'était il y a longtemps, quand Thèbes était la capitale de l'Égypte.

— Tu sais où il se trouve ?

— Non, je l'ignore.

— Tu ne l'as pas cherché ? demande Penou.

— Personne n'aime se promener dans la vallée des morts », rétorque le scribe d'un ton sinistre.

Le silence se fait à nouveau dans la pièce.

« Il y a des Hyksos dans le désert de l'Ouest ? interroge Tétiki pour connaître les pensées du scribe.

— Les espions hyksos sont partout, dit Kanefer d'une voix sombre. Que les crocodiles les avalent tous. Mais pourquoi t'intéresses-tu à la tombe de Taa ?

— Tétiki souhaite devenir un grand soldat, aussi brave que le pharaon, répond Penou. C'est de son âge. »

Et il jette sur son ami un regard malicieux.

Les plantes d'Imhotep font d'inquiétantes ombres dans la pâle clarté nocturne. Tétiki, agité et troublé, ne trouve pas le sommeil. Il pense à Kanefer. Peut-il lui livrer son secret ? Le scribe déteste les Hyksos autant que lui et pourrait certainement l'aider. Mais comment savoir les pensées qui s'agitent derrière ses yeux toujours baissés ?

Le garçon, partagé entre l'espoir et l'inquiétude, ne sait que décider.

« Tu dors, Imhotep ? murmure-t-il.

— Non, mon fils, je t'entends te tourmenter sans cesse.

— Est-ce que je peux faire confiance à Kanefer ?

— Dieu seul lit au fond des cœurs. L'œil de l'homme voit l'eau transparente mais n'aperçoit pas le crocodile qui se cache dans le limon de la rivière. Je sais seulement que le grand vizir apprécie son zèle et son dévouement au service de Pharaon.

— C'est pour quelque chose de très grave, dit Tétiki.

— Tu peux parler sans crainte. »

Le garçon déclare brutalement, comme on se jette à l'eau :

« Je veux trouver la tombe de Taa le Brave et cacher les trésors pour que les Hyksos ne les pillent pas.

— Pauvre enfant », dit Imhotep.

Lorsque Tétiki se réveille, le souvenir de l'imprudente conversation de la veille lui revient à la mémoire. Il se précipite vers Imhotep occupé à tremper des écailles de serpent dans de l'huile d'olive. Le vieillard ne lève pas les yeux à son approche et continue paisiblement son travail. Tétiki se repent déjà d'avoir trop parlé. Décidément, il se trompe toujours en se confiant au premier venu. La honte et l'appréhension lui montent aux joues. Aussi est-ce avec un immense soulagement qu'il entend les paroles du vieillard :

« Explique-moi, mon fils, pourquoi tu veux entreprendre un voyage aussi téméraire ? »

Tétiki explique longuement la visite des Hyksos et l'infâme proposition qu'ils ont faite à son père.

« Tu ne peux pas réussir seul. Et moi je suis trop vieux.

— Crois-tu que Kanefer m'aiderait ?

— Peut-être. Il a toujours haï les Hyksos. J'irai sonder son cœur. Mais si tu veux sauver les trésors de la tombe de Taa... »

À ce moment-là, ils entendent un gémissement. C'est Penou qui vient d'entrer dans la maison.

« Empêche-le, Imhotep, empêche-le d'aller dans le désert des morts ! Tu es vieux, tu es sage, il t'écoutera !

— Celui qui n'accomplit pas ce qu'il désire accomplir est malheureux pour le reste de sa vie, dit le vieillard.

— Mais il va mourir !

— Nul ne connaît le moment où la vie doit le quitter. »

Et il se tourne vers Tétiki :

« As-tu de l'argent pour acheter des outils, des provisions, et un traîneau pour emporter les sarcophages ?

— Je n'ai pas d'argent. »

C'est alors que Didiphor saute sur les épaules de Penou et agite fièrement avec sa patte le collier de cornaline.

« Ton singe est avisé, fait Imhotep en riant. Tu iras vendre ce collier à Makaré. »

Penou ouvre la bouche de fureur mais avant qu'il ait articulé un son Tétiki lui demande :

« Tu n'es pas fâché, Penou ?

— Je suis fâché contre tout : contre ce projet d'aller dans la tombe, contre Imhotep qui t'envoie à la mort, contre ton obstination stupide... »

Et piteusement le nain détache son collier et le tend à son ami.

Makaré est la propriétaire de la plus grande maison de bière de la ville. En plus de son travail elle « rend service » à ses clients, en leur achetant, à bas prix, les objets qu'ils se trouvent dans l'urgente nécessité de vendre.

La maison de bière est facile à trouver. C'est une maison opulente, construite en briques crues. Sur le toit, de grands roseaux sont recouverts de limon. Un vaste jardin l'entoure et s'étend jusqu'à une petite ruelle à laquelle on accède par une porte en chicane. L'entrée principale donne sur une large rue passante. Dans la grande salle, aux murs et aux plafonds peints, des hommes assis sur des tabourets ou accroupis sur des nattes boivent et parlent fort. Des musiciennes, vêtues de longues robes transparentes, jouent de la harpe et de la flûte.

Les trois amis se tiennent sur le seuil, hésitant à entrer, quand un grand rire éclate à côté d'eux :

« Mais tu n'es pas parti pour Éléphantine ? »

Tétiki frissonne en reconnaissant la femme rencontrée sur la place du temple. Elle dévisage Penou de ses yeux perçants :

« C'est toi le pilleur de sarcophage qui empêche les soldats de Pharaon de jouer au jeu du serpent ?

— Comment le sais-tu ? demande Penou, affolé.

— Makaré a des yeux pour voir et des oreilles pour entendre. »

Tétiki interroge, stupéfait, le pygmée des yeux. Penou baisse la tête et balbutie :

« J'étais ivre. »

Makaré s'amuse de leur jeu de scène et s'esclaffe :

« Par Osiris, vous me faites vraiment rire ! »

Et à nouveau Tétiki sent son cœur se contracter

dans sa poitrine. Mais déjà la femme l'interroge durement :

« Que me veux-tu ?

— C'est Imhotep qui m'envoie.

— Ce vieux sorcier ! Il ne veut jamais venir chez moi. Il n'aime pas les gens qui boivent. Alors, que veux-tu ? »

Tétiki lui tend le collier de cornaline.

Makaré sourit d'un air satisfait :

« Viens avec moi. »

Tétiki, Penou et Didiphor la suivent à travers la salle commune jusqu'à une cour intérieure. La cour comprend une terrasse qui s'ouvre sur un salon privé dont le plafond peint est soutenu par des colonnes de bois. Makaré se dirige vers un coffre de cuivre dont elle retire six deben d'argent.

Elle les tend au garçon.

« Prends ça, dit-elle.

— Ce collier vaut plus cher », fait Penou scandalisé.

Makaré le transperce du regard :

« Apprends que jamais Makaré ne revient sur sa parole.

— Maintenant rends-moi le papyrus que tu m'as volé », fait Tétiki.

La femme rit :

« Quel papyrus ? Serais-tu un espion hyksos ? »

Puis, son ton devient menaçant :

« Pars d'ici au plus vite. Et souviens-toi : tu ne m'as jamais vendu ce collier. Le sable du désert a effacé tes pas jusqu'à ma maison. Que jamais la bastonnade des gardes ne te fasse parler de Makaré, sinon son ka te tourmentera tout le reste de ta vie. »

Tard dans la nuit, Imhotep, Tétiki, Penou et Didiphor sortent de la ville par la porte de l'orient. Ils longent les murailles de Thèbes jusqu'à l'enceinte du temple de Karnak et remontent vers le nord. Le Nil recouvre les champs et rien ne bouge sur terre ni sur les eaux. Imhotep répète ses explications :

« Kanefer t'attendra tous les soirs sur la rive de l'éternité à l'heure où le soleil se couche. Tu le trouveras près de l'unique bosquet de palmiers qui n'est pas recouvert par l'inondation.

— Et après ? Il m'aidera à cacher les trésors ? demande le garçon.

— Si tu trouves la tombe, il t'aidera. Il me l'a promis. »

Tétiki regarde de l'autre côté du fleuve : là-bas commence la rive d'Occident, celle où le soleil se couche, celle où les hommes se couchent aussi dans leurs sarcophages pour mener leur seconde vie dans le royaume d'Osiris. L'eau est si sombre qu'elle se confond avec la terre, et le ciel si noir qu'il se confond avec les montagnes. Toute la rive ouest de Thèbes semble un gigantesque tombeau.

Entre deux pins parasols qui émergent du Nil se détache la silhouette d'un homme debout dans une barque.

« Le passeur est là, murmure Imhotep. Tu lui diras :

« Par le grand ka d'Amon et le ka royal de son fils Pharaon. »

Puis Imhotep serre Tétiki dans ses bras.

« Au revoir, mon fils. Sois comme le sphinx du désert, fort comme le lion, prudent comme Pharaon. Je demande à Amon de donner à mes yeux le bonheur de te voir à nouveau. »

Une ombre de tristesse passe sur son visage, mais il fait très sombre et Tétiki ne s'en aperçoit pas. Maintenant, il faut se séparer.

« Nous nous reverrons bientôt », dit Tétiki en adressant au vieillard un dernier signe d'adieu.

Pour se donner du courage, Penou fait une pirouette devant Imhotep, puis prend le grand panier rempli de provisions et s'avance vers le passeur.

« Par le grand ka d'Amon et le ka royal de son fils Pharaon, dit Tétiki.

— Qu'Ahmosis soit seigneur des Deux Couronnes », répond le passeur en leur faisant signe de monter.

Chacun garde le silence pendant toute la traversée.

Tandis que Tétiki se dirige vers la rive de l'éternité, une felouque, en provenance d'Éléphantine, descend le Nil. Elle s'engage dans la boucle du fleuve où se blottit la capitale thébaine.

« Change la voile », ordonne une voix.

Un marin affale la voile, marquée du scarabée hyksos, et monte à la place une voile blanche avec l'insigne de Thèbes. La felouque quitte le fleuve, remonte le canal qui conduit à la ville et s'arrête devant la porte du sud. Un homme se dresse sur le pont. Il avance en boitant. C'est Antef.

« Viens me retrouver demain, à l'endroit habituel », dit-il au marin.

Puis il descend sur le quai et entre dans la ville.

Antef s'approche de la maison de Makaré. Malgré l'heure tardive, quelques clients boivent encore. Antef délaisse l'entrée principale pour contourner le jardin et passer par la porte de la ruelle. Les canards dorment près du grand bassin situé au milieu du jardin. Antef pénètre dans la cour intérieure, monte jusqu'à la terrasse et entre dans le salon.

Makaré est en train de faire sa toilette lorsqu'elle entend et reconnaît le pas claudicant du préposé aux soldats. Elle chasse aussitôt la servante qui lui brossait les cheveux et descend rejoindre Antef.

« Ah ! te voilà Antef ! Je ne pensais pas te revoir si tôt ! »

Et elle désigne un divan pour engager son hôte à s'asseoir. Il le fait avec une grande difficulté, réprimant mal sa douleur. Makaré sourit :

« Je vois que la bastonnade du commissaire royal a été généreuse ! »

Antef a un rictus amer. Il regrette que Makaré soit au courant de son humiliation. Mais la femme devine ses pensées :

« Les nouvelles vont vite sur le Nil et Makaré a des oreilles pour entendre.

— Qu'as-tu appris encore ? » demande Antef, visiblement de mauvaise humeur.

Makaré éclate de rire :

« J'ai appris que tu as un dos en peau d'hippopotame ! »

Elle va verser du vin dans deux bols de terre cuite et en donne un à son complice :

« Bois. Cela te guérira plus vite. »

Puis elle s'installe à côté de lui sur le divan en lui demandant :

« Comment t'es-tu sorti de cette méchante affaire ?

— J'ai fait semblant d'être mort. Ils l'ont cru.

— Et après ? interroge Makaré.

81

— J'ai des gens à moi dans toutes les villes d'Égypte.

— Que tu achètes avec des passe-droits et des faveurs imméritées, fait Makaré faussement indignée.

— L'injustice sert à se faire des alliés. Elle crée des complicités plus sûres que l'équité.

— Je vois que l'immobilité forcée t'a inspiré quelques maximes de sagesse », constate la femme avec ironie.

Antef reprend avec une brusque violence :

« Je dois me venger.

— De qui ?

— Du fils du nomarque d'Éléphantine.

— De Tétiki ? » dit Makaré avec une indifférence feinte.

Antef ne peut réprimer son étonnement.

« Tu le connais ?

— Makaré a des yeux pour voir.

— Alors tu sais où je peux le trouver », dit Antef en se redressant brutalement et en réprimant un cri de douleur.

Makaré s'esclaffe :

« Tu me fais vraiment rire. Et arrête de remuer sans cesse comme une anguille sur le feu ! »

Elle se lève et se dirige vers le coffre de cuivre. Elle en retire le collier de cornaline et le met à son cou :

« Il est joli, tu ne trouves pas ? C'est un cadeau de Tétiki. Enfin, presque un cadeau.

— Il m'a volé un papyrus, dit Antef d'un air sombre.

— Je suis au courant », dit Makaré.

Et se retournant vers le coffre, elle en extrait le papyrus qu'elle agite en l'air devant les yeux stupéfaits d'Antef.

« Eh bien... le voilà ! Je me suis permis de le lire », ajoute-t-elle d'un ton faussement contrit.

Antef lui arrache le papyrus pour le lire à son tour.

« Où est-il maintenant ?

— Qui ? Tétiki ? Sans doute sur la rive de l'éternité.

— Tu l'as laissé partir ! dit Antef avec colère.

— Les oreilles de Makaré n'aiment pas qu'on leur parle sur ce ton », répond-elle sèchement.

Antef plisse légèrement ses lèvres pour exprimer un sourire d'excuse. Makaré se radoucit.

« Reprends du vin. Tu es nerveux comme un serpent dans un bol ! »

Puis elle saisit le papyrus qu'elle approche de la flamme d'une lampe et commence à le brûler.

« Je ne l'ai pas laissé partir sans réfléchir, Antef. Tu devrais savoir que je ne fais rien sans y trouver mon intérêt... et le tien. »

Antef l'écoute attentivement. Makaré, tout en brûlant le papyrus, continue son explication :

« Il se peut qu'il meure dans le désert. En ce cas, te voilà débarrassé d'un témoin trop entreprenant.

— Et s'il trouve le trésor ?

— Je n'ose espérer une solution aussi heureuse. Il n'a pas appris grand-chose chez les scribes d'Éléphantine... à part manier le boomerang. »

Et elle jette un regard narquois vers son complice. Antef fait semblant de n'avoir pas compris l'allusion et ne réagit pas. Il se contente de répéter :

« S'il trouve le trésor ?

— Dans quelques jours, tu pars avec nos complices pour la rive de l'éternité. Tu arrêtes Tétiki dans la tombe et le fais prisonnier. Je le dénonce comme pilleur de sarcophage. Thèbes me fait fête. Pharaon m'offre des bijoux pour me remercier. On fait à Tétiki un procès retentissant. Et pendant ce temps-là tu emportes l'or sans être jamais soupçonné. »

Antef plisse les yeux d'un air admiratif :

« La ruse de Seth est en toi, Makaré. »

Makaré sourit modestement.

5

La tombe de Taa

Le froid du matin réveille Tétiki, Penou et Didiphor qui se sont endormis par terre, au bord du Nil. Penou fait quelques pirouettes pour se réchauffer.

« Il fait plus froid qu'à Éléphantine, dit-il.

— C'est le climat du Nord », répond Tétiki.

Le garçon se redresse pour examiner les lieux. Le ciel est presque blanc et répand sur la rive ouest une lumière pâle et uniforme. Le relief est sinistre et monotone. À perte de vue des pierres et des cailloux jalonnés de grosses collines grises et sales couvertes de terre. Penou, qui s'est rapproché de son ami, est atterré par cette immensité aride.

« Comment veux-tu trouver une tombe dans tous

ces rochers ? Autant chercher un collier tombé dans le Nil !

— On va d'abord chercher le temple souterrain. Là on trouvera la coiffe rouge. Et dans la coiffe rouge il y aura le signe mutilé de Seth qui permettra de trouver la tombe. »

Et Tétiki continue à explorer le désert. Penou le dévisage en hochant la tête :

« Tu perds ton temps, Tétiki, à regarder partout. Un temple souterrain n'est pas visible à l'œil nu. D'ailleurs, Kanefer ne le connaît pas. Tu vois bien maintenant que ton projet est absurde. On ferait mieux de rentrer à Éléphantine. »

Tétiki se retourne, exaspéré :

« Si tu es venu avec moi pour gémir sans cesse, alors va-t'en. Je continuerai tout seul. »

Penou se mord les lèvres et s'assied en bougonnant, laissant le garçon scruter les environs. Derrière les collines grises se dresse une falaise abrupte de grès clair. Plus loin encore, sans doute très loin, une chaîne de montagnes trace sur le ciel une longue ligne verticale. Tétiki réfléchit longtemps sur la direction à prendre. Il finit par dire :

« On va se diriger vers la falaise. C'est sûrement dans la falaise que le temple a été creusé.

— Allons vers la falaise », dit Penou, résigné.

Ils commencent à marcher en silence. Didiphor saute joyeusement, indifférent aux pierres et aux cailloux. Penou regrette le désert de son pays où le sable est si doux au pied, et dans lequel il n'y a pas de tombe avec le dieu Seth mutilé.

« Pourquoi a-t-on mutilé le dieu Seth sur la tombe de Taa ? demande-t-il.

— Parce que, lorsqu'on mutile une image, on enlève à celui qu'elle représente le pouvoir d'agir. Le dieu Seth ne peut plus faire de mal une fois qu'on lui a enlevé les oreilles, les yeux, les mains et les pieds.

— Ils sont vraiment logiques, les Égyptiens », constate Penou.

Le soleil monte dans le ciel et la chaleur devient harassante. La lumière fait trembler les contours de fantomatiques montagnes. Penou sent que la terrible crainte, qu'il essaie de repousser depuis le départ de Thèbes, revient envahir son cœur : la crainte de la vengeance des morts.

« Tétiki, demande le nain d'une voix altérée, tu ne crains pas la malédiction des pharaons ? »

Comme le garçon ne paraît pas comprendre le sens de ses paroles, Penou lui donne de plus amples informations :

« J'ai entendu beaucoup d'histoires sur les pilleurs de tombe. Ils sont toujours poursuivis par la malédiction. Ils sont mangés par les crocodiles, ou harcelés par de mauvais rêves, ou bien leur barque est renversée par un hippopotame. »

Tétiki est indigné :

« Nous ne sommes pas des pilleurs de tombe !

— Nous y ressemblons beaucoup, hasarde Penou.

— Le ka du pharaon sait lire au fond des cœurs. Il sait que nous agissons pour délivrer l'Égypte et protéger sa momie des envahisseurs.

— Mais si le pharaon dort ? Si son ka est parti se promener sous un sycomore, il pourra nous confondre avec de vrais pilleurs de tombe ? s'inquiète Penou.

— Pharaon ne se trompe jamais. Tu n'as aucune raison d'avoir peur. »

Penou baisse la tête et marmonne :

« J'ai peur quand même. »

Depuis trois jours, les compagnons errent entre les massifs cailouteux. Tétiki croyait pouvoir avancer en ligne droite vers la falaise. Mais il leur faut constamment contourner des collines, s'enfoncer dans des vallées obscures, faire d'innombrables détours. Quand la falaise réapparaît, elle semble toujours aussi éloignée.

« La falaise recule, constate Penou avec effarement. C'est la malédiction qui commence.

— Ne dis pas de sottises, Penou, dit Tétiki avec assurance. Nous nous rapprochons au contraire. »

Pourtant, Tétiki lutte contre une panique grandissante. Lui aussi a le sentiment de tourner en rond, et il ne sait plus quelle direction prendre. Et le garçon relève sans cesse sa mèche d'un geste nerveux que Didiphor observe avec inquiétude. Le babouin saute alors sur l'épaule de son maître et lui caresse les cheveux.

Tétiki lui sourit :

« Tu as raison, Didiphor. Je vais interroger mon ka.

— Mais il n'y a pas de sycomore ! remarque Penou.

— Cela ne fait rien. J'en dessinerai un sur le sol. Son image le remplacera. »

Tétiki trace sur la terre un tronc trapu, des branches recouvertes de petites feuilles montant vers le ciel et quelques figues bien mûres. Il s'assied en croisant les jambes près de l'arbre dessiné et Didiphor s'installe à ses pieds.

« O mon cœur, ka qui est dans mon corps pour diriger mes actes et inspirer mes paroles, rend mes yeux aussi perçants que ceux du faucon afin que je trouve le temple souterrain. »

Puis il scrute attentivement le désert. Le soleil est au zénith. Il n'y a aucune trace de vie. Les oiseaux eux-mêmes sont rares. De brèves et chaudes rafales de vent soulèvent des nuages de poussière. Sur le haut d'une colline, Tétiki croit apercevoir une forme animale. Il met ses mains au-dessus de ses yeux pour éviter l'éblouissement du soleil. Il y a bien une gazelle blanche au ventre rebondi. Elle tourne la tête à droite et à gauche, comme si elle cherchait son chemin.

« Regarde la gazelle, dit Tétiki.

— Elle va avoir un petit, ajoute Penou.

— Alors on va la suivre, dit Tétiki. Elle doit chercher de l'ombre pour mettre bas. Et il y a sûrement de l'ombre dans le temple souterrain. C'est notre seule chance. »

Mais déjà la gazelle redescend la colline en s'éloignant vers le nord-ouest.

« On ne la voit plus », s'alarme Penou.

En effet, la gazelle a disparu dans le creux d'une

vallée. Tous deux dévorent des yeux les sommets arrondis qui restent désespérément vides. L'attente est interminable. Tétiki a des mirages : il entrevoit des silhouettes blanches qui s'évanouissent ensuite dans la lumière.

« Regarde là-bas, s'exclame Penou, tendant son bras dans la direction d'un point minuscule, quatre collines plus loin.

— Tu crois que c'est elle ? demande Tétiki incrédule.

— Je suis habitué au désert, répond Penou, vexé. C'est bien elle. Il faut se dépêcher. »

Arrivé en haut de la quatrième colline, Penou pousse un cri de joie. Non loin de là, au creux d'une vallée, se tient un temple aux trois quarts effondré.

« Il y a un temple ! » crie Penou à Tétiki en train de gravir la colline.

Puis il ajoute avec dépit :

« Mais il n'est pas souterrain ! »

Tétiki court vers le sommet et regarde à son tour. Il doit se rendre à l'évidence : le temple n'est pas souterrain, mais bien au contraire largement exposé au milieu d'un plateau.

Tétiki est saisi par un brusque découragement. Il ressent cruellement la fatigue de la marche, de l'attente, de l'espoir déçu. Il s'assied, prend sa tête dans ses mains, ferme les yeux. Et s'il n'y avait pas de temple souterrain ? Si le papyrus mentait ?

Penou, infatigable, l'arrache à ses moroses méditations.

« Viens voir, Tétiki. Il y a des colonnes plus haut. »

En effet, en suivant le plateau caillouteux qui remonte en pente douce vers la falaise, on arrive à distinguer, se confondant avec les rochers de grès, des débris de colonnes.

« Il doit y avoir deux temples : l'un en bas et l'autre dans la falaise, dit Tétiki. Il faut vite aller voir. »

Et, oubliant sa fatigue, il commence à dévaler la pente.

Tétiki ne s'est pas trompé. Une large chaussée, en partie défoncée, mène du temple de la vallée à une terrasse fermée sur trois côtés. Elle comprend les restes d'une petite pyramide effondrée qu'entourent des colonnes brisées. Sur les bas-reliefs de la colonnade, on reconnaît des scènes de chasse, des processions fluviales, des batailles contre des étrangers. L'intérieur du temple est creusé dans le roc.

Les trois amis pénètrent dans la falaise où se trouve une première cour dont les colonnes peintes se terminent en fleurs de papyrus. Partout des statues renversées, fracturées, démantelées traînent sur le sol. Tétiki et Penou vont de l'une à l'autre, cherchant impatiemment la coiffe rouge. Mais la coiffe d'Amon est blanche, celle de la déesse Hathor est un disque

d'or entre deux cornes de vache, celle du dieu Horus, une tête de faucon. La déesse Isis porte une plume sur la tête et Sekmet une crinière de lionne.

« Personne n'a de coiffe rouge, dit Penou. Nous sommes dans de la crotte d'hippopotame. »

Tétiki rejette nerveusement sa mèche en arrière.

« Elle doit se trouver là ! Il faut chercher encore. »

Dans la deuxième salle du temple, la gazelle a mis bas son petit et le nettoie avec douceur. Partout les mêmes débris de statues. Enfin, au fond de la salle, dans la pénombre, près du couloir qui conduit au tombeau, se dresse, intacte, la statue d'un pharaon. Il porte sur son corps brun une longue robe blanche et tient les poings croisés sur sa poitrine. Son visage est d'un équilibre parfait. Ses yeux, largement ouverts, sa bouche ferme et pleine, son menton bien dessiné, donnent le sentiment d'une majesté sereine. Une large et généreuse barbe recourbée atteste sa divinité.

« Qui est-ce ? » demande Penou.

Tétiki déchiffre le cartouche du pharaon gravé sur sa poitrine : Mentouhotep, fils d'Amon-Rê, Horus d'Or, roi du Haut et du Bas-Pays. Sur sa tête il porte une coiffe rouge. C'est une couronne de pierre, faite d'un casque rond surmonté, à l'arrière, d'un cône vertical. C'est ce cône que Didiphor renverse en sautant, d'une manière bien irrévérencieuse, sur la tête du roi. Sous le cône, le casque a été creusé pour dissimuler un caillou blanc et plat. C'est un caillou gravé. Tétiki s'en empare aussitôt, le regard brillant de triomphe, et le serre dans sa main en fermant les yeux d'émotion.

« On a trouvé, murmure-t-il, on a trouvé !

— Montre-le-moi, dit Penou brûlant d'impatience. Tu me laisses griller comme un pigeon. »

Tétiki déplie lentement ses doigts, découvrant progressivement l'image gravée. Il n'y a aucun doute : c'est Seth, le dieu rouge. C'est sa silhouette élégante, son long museau effilé, sa longue queue raide et fourchue. Mais on a coupé ses pieds, ses mains, ses oreilles pointues et effacé ses yeux. Penou le regarde avec admiration :

« Même mutilé, il est très beau !

— Il est beau comme Makaré est belle, répond Tétiki avec amertume. Allez, viens.

— Mais où ? Où allons-nous maintenant ? demande Penou.

— Je ne sais pas encore. Mais il doit y avoir d'autres cailloux comme celui-là. Les ouvriers de la nécropole ont dû les laisser comme points de repère pour ne pas se perdre dans le désert. »

À gauche du temple se trouve un autre caillou gravé. Puis un troisième au pied de la falaise. De cailloux gravés en cailloux gravés Tétiki et Penou courent avec fièvre. Ils ne sentent ni la chaleur accablante du soleil, ni le sol brûlant sous leurs pieds, ni la faim, ni la soif. Les yeux rivés sur le sol, ils poussent des exclamations de joie à chaque nouveau galet clair.

Didiphor gambade dans tous les sens. Il est chargé de brouiller la piste pour tromper les Hyksos. Il emporte les cailloux et en dépose un vers le nord, un autre vers le sud, un troisième vers l'est, un quatrième dans la falaise. Il s'amuse à en cacher dans des grottes qui ne mènent nulle part.

L'exaltation de la découverte du signe de Seth est vite retombée. Les cailloux sont devenus introuvables. Cela fait quatre jours déjà qu'ils ont franchi la falaise et qu'ils errent, désorientés, dans un vaste plateau aride, à la recherche du signe de Seth. Ils prennent de mauvaises directions, doivent ensuite rebrousser chemin, essayer ailleurs. Les provisions d'Imhotep sont presque épuisées. Pourtant Tétiki s'obstine. Il ne veut pas abandonner maintenant, alors qu'il a déjà trouvé le temple. Penou se tait. La soif le rend muet. Didiphor est triste et abattu. Il s'effarouche au moindre bruit : un cri de vautour, un serpent qui glisse. Tétiki s'efforce de rester calme, mais il rêve toutes les nuits d'un caillou qui s'enfonce dans le sol dès qu'il veut l'attraper et qui l'entraîne vers le fond de gouffres interminables. Il se réveille en sueur et tremblant.

Chaque matin, Penou dit : « Si on ne trouve pas

aujourd'hui, on regagnera le Nil ce soir. » Et chaque soir Tétiki annonce : « On essaiera encore demain. »

Enfin, vers le milieu de l'après-midi, Tétiki et Penou atteignent des montagnes à l'aspect lugubre, entre lesquelles se faufile une petite vallée étroite et sinueuse, couleur de sable. Un caillou gravé est posé sur un rocher.

« Ce doit être près d'ici », dit Tétiki.

Penou promène sur l'environnement un regard consterné.

« C'est trop sinistre. Ça ne peut pas être une vallée pour les rois.

— Il y a le caillou », répond Tétiki.

Penou explose brusquement de colère :

« Il faut être stupide comme une oie du Nil pour venir mourir ici ! C'est noir, c'est triste, rempli d'ombres effrayantes ! »

Tétiki se souvient d'Ahmosis, si fier sous sa couronne blanche. Cette grandeur austère et désolée convient bien au pharaon de son cœur.

« Les rois habitent toujours dans la solitude, dit-il. Mais où est Didiphor ?

— Didiphor ! Didiphor ! Reviens ! » appelle Penou.

Didiphor ne paraît point, mais on entend, plus haut dans la montagne, des petits cris plaintifs.

Grimpant à sa recherche, Tétiki finit par apercevoir le babouin caché dans le renfoncement d'un rocher. Il l'appelle à nouveau. Mais le petit singe ne bouge pas et pousse des gémissements.

« Je vais y aller », dit Penou.

Il rejoint l'animal affolé, le prend dans ses bras en lui chuchotant :

« Didiphor, je t'adore. »

Le cœur de Didiphor bat à un rythme précipité et sa poitrine est secouée de spasmes.

« Didiphor, je t'adore. Ne t'inquiète pas. Nous retournerons à Éléphantine. Nous courrons derrière les oies pour leur faire peur et ferons griller des pigeons. »

Mais Didiphor continue à tourner de tous côtés ses yeux effrayés. Tétiki, intrigué, cherche autour de lui ce qui peut ainsi terroriser son singe.

Au pied d'un escarpement rocheux, il distingue une pierre rectangulaire. Elle est taillée d'une manière très régulière. Ce sont certainement des hommes qui l'ont posée là pour masquer une grotte. Tétiki s'approche de la pierre et tente de la déplacer. Elle est très lourde. Penou vient à son secours. Ils parviennent, avec beaucoup de difficultés, à la faire glisser sur le sable. Derrière la pierre s'ouvre un étroit couloir creusé en pente douce que Tétiki emprunte aussitôt. Le couloir débouche sur une grande caverne très sombre. L'odeur est suffocante. Tétiki attend que ses yeux se soient habitués à l'obscurité, et découvre, avec stupeur, un entassement de singes momifiés. Ils sont là par centaines, posés sur le sol, le corps desséché, enduit d'huile, emmailloté dans des étoffes bariolées. Certains singes, appartenant sans doute à des gens fortunés, portent des colliers autour du cou, ou bien sont enfermés dans de petits reliquaires de bronze. L'odeur des parfums fermentés est si lourde que Tétiki a la tête qui tourne. En s'appuyant contre la paroi il remonte lentement vers la lumière, et rejoint Penou.

« C'est une nécropole de singes. Didiphor a dû sentir l'odeur. »

Et il s'adresse au babouin avec douceur :

« Didiphor, il ne faut pas avoir peur de la mort. La mort n'est pas une fin, mais un passage vers une seconde vie.

— Une autre vie très agréable, précise Penou. On est avec les dieux. »

Mais Didiphor n'est pas convaincu par ces explications et continue à pousser des cris plaintifs. À tour de rôle, le garçon et le nain tentent de le raisonner, inutilement. Enfin Penou, le sachant orgueilleux, le prend par l'amour-propre :

« Tu es intelligent. Tu es le plus intelligent des animaux. Tu devrais comprendre.

— Il faut croire qu'un animal, même très intelligent, ne peut pas comprendre l'éternité », conclut Tétiki.

Et il prend le babouin dans ses bras en lui murmurant :

« Allez, viens ! Tu resteras avec moi. Tu ne crains rien. »

Ce matin-là, ils finissent les dernières provisions. Cela fait deux jours qu'ils avancent dans la vallée que Penou appelle la vallée des rois. Le nain a le cœur serré chaque fois qu'il regarde le visage de Tétiki, creusé par la fatigue, les yeux immenses et étrangement fixes.

Toute la matinée, ils avancent lentement au creux des massifs. Puis ils prennent un petit chemin qui grimpe dans la montagne. Ils atteignent enfin une combe qui s'ouvre sur un petit plateau entouré de rochers. Tétiki reprend son souffle.

« On va retourner vers le Nil, dit Penou. Nous ne pouvons plus continuer. »

Tétiki lui adresse un pâle sourire et s'assied au pied d'un éboulis de pierres au creux d'une paroi. Il pense à son père, à Ahmosis, à l'inutilité de tous ses efforts. Certes Penou a raison : il faut maintenant retrouver le fleuve en marchant vers l'est. Tétiki se redresse et de déception donne un coup de pied dans les pierres. C'est alors qu'il aperçoit, posés en triangle au milieu de l'éboulis, trois cailloux gravés.

Penou, stupéfait, le voit enlever avec rage les décombres de terre. « Il devient comme un chien », se dit-il, en embrassant ses amulettes. Puis il est traversé par une illumination :

« Tu as trouvé la tombe ? »

Et sans attendre de réponse il vient aider le garçon. Le travail paraît sans fin. Au fur et à mesure qu'ils enlèvent les pierres, d'autres pierres glissent de la montagne. Enfin, après plusieurs heures d'effort, apparaît une dalle de granit scellée dans le rocher, puis la tête du dieu Seth dont les yeux ont été effacés.

Avant de s'éloigner, Tétiki examine la montagne. Un sommet triangulaire surmonte la ligne de crête. Il prendra cette cime comme point de repère. À gauche de la cime, une arête rocheuse descend perpendiculairement jusqu'à la combe où est dissimulée la momie du pharaon. Il saura retrouver le tombeau.

Il fait nuit noire quand ils atteignent le bosquet de palmiers au bord du Nil. Ils ont marché la nuit et le jour, dormant à peine à l'heure de midi, craignant de mourir de faim et de soif. Kanefer n'est pas là.

« Il viendra peut-être demain, dit Penou. En attendant nous boirons toute l'eau du Nil et nous mangerons tous les poissons. »

Et il se penche une fois encore pour se désaltérer dans le fleuve.

Le lendemain, la course du soleil paraît éternellement longue à Tétiki. Enfin la lumière du soir éclaire d'un reflet rose le pylône du temple de Karnak de l'autre côté du fleuve. Puis la ville de Thèbes s'enfonce dans l'obscurité. Le silence devient pesant.

« Par le grand ka d'Amon et le ka royal de son fils Pharaon ! »

La voix fait sursauter le garçon. Kanefer surgit de l'ombre.

« Nous avons trouvé la tombe », dit fièrement Tétiki.

Mais Kanefer reste impassible.

« Nous avons trouvé la tombe de Taa, répète Tétiki.

— C'est Amon qui a conduit ta marche dans le désert d'Occident, répond Kanefer de sa voix monocorde.

— Tu viendras avec nous pour ouvrir le tombeau ? interroge Tétiki, surpris par l'attitude du scribe.

— Je serai là après-demain matin avec deux amis d'Imhotep : Hori et Peikaru. J'amènerai des provisions et des outils. »

Puis, sans ajouter un mot, il dépose un panier plein de fruits et de pains, et disparaît dans la nuit.

Tétiki rit de soulagement :

« J'ai eu raison de lui faire confiance.

— Moi, je n'aime pas cet homme, confie Penou.

— Pourquoi ? Il est fidèle et très efficace.

— Je n'aime pas son visage immobile ni sa voix inexpressive.

— C'est un scribe. Les scribes écrivent et transmettent les ordres. Ils n'ont pas à exprimer ce qu'ils pensent.

— Tu crois toujours que tu as raison, fait le nain avec humeur. J'ai déjà rencontré des scribes. Et ils ne m'ont jamais donné des frissons dans le dos. Alors que Kanefer m'en donne.

— Tu fais un mauvais rêve, Penou. Joue du sistre. Cela chassera tes frissons. »

Et tandis que Tétiki s'endort en souriant de bonheur, les grelots du sistre cliquettent précipitamment pour chasser les craintes apportées par la nuit.

6

Un étrange accident

—•—

« Par Horus ! Je me demande comment vous avez fait pour trouver la tombe ! » fait Hori en sifflant d'admiration.

Les trois amis et leurs alliés, Kanefer, Hori et Pei-karu, viennent d'arriver à la combe. Ils ont marché longtemps, emportant avec eux des paniers pleins de provisions, des outils, des cordes, et un long traîneau pour charger les trésors et les sarcophages.

Hori est un grand gaillard, gai et bavard, origi-naire du Fayoum, au sud du Delta. Il appartient à une famille où l'on est tailleur de pierre de père en fils. Pour fuir l'envahisseur, il s'est réfugié à Thèbes.

« Je vais commencer tout de suite, dit-il en s'emparant d'un ciseau de cuivre et d'un marteau.

— Cela ne sert à rien de commencer maintenant. Il va faire nuit dans un instant, lui répond Kanefer.

— Juste pour voir, dit Hori. Je n'ai jamais vu de tombe de pharaon !

— Je meurs de faim », dit Penou.

Et tout le monde s'installe pour dévorer les victuailles apportées par Kanefer, tandis qu'Hori frappe des coups précis et réguliers pour desceller la dalle de granit. Tout en travaillant, il n'arrête pas de parler :

« La première fois que j'ai vu un Hyksos, il était sur un char. Tu as déjà vu un char, Tétiki ?

— Jamais, répond le garçon.

— Tu viens du bout du monde, alors ! dit Hori en riant. Un char ressemble à une chaise accrochée sur deux roues. Tu as déjà vu une roue, Tétiki ?

— Non, répond Tétiki en l'écoutant avec la plus grande curiosité.

— Une roue est un cercle de bois qui tourne tout seul autour d'un axe. Le char est attelé à un cheval. Tu as déjà vu un cheval ? »

Tétiki hoche la tête négativement.

« C'est une sorte d'âne, un grand âne, qui est aussi fort qu'un bœuf et aussi rapide qu'une gazelle.

— J'en ai entendu parler, dit Penou. Les Hyksos chassent le lion dans le désert avec un cheval. »

Hori continue imperturbablement :

« Quand les Hyksos sont arrivés à la bataille avec leurs chars, contre les Thébains qui s'avançaient à pied, on aurait dit des éléphants marchant dans un poulailler. J'en pleurais. J'en pleurais.

— Arrête de parler comme cela », dit Peikaru en tremblant.

Peikaru est petit et maigre avec de longues mains aux doigts fins et délicats. Il était un orfèvre réputé dans le Delta. Mais quand Apopi l'a fait chercher pour lui demander de travailler dans le temple de Seth, il a refusé de mettre son talent au service du dieu rouge. Pour le punir, le roi hyksos l'a envoyé comme rameur sur les bateaux qui font le trafic avec l'Orient. Peikaru a réussi à s'enfuir, mais il est resté de constitution nerveuse et fragile. Sa haine contre les envahisseurs le jette dans de brusques et terribles colères.

« Arrête de parler d'eux, répète-t-il. Leur nom seul suffit à apporter un désastre pire qu'un nuage de sauterelles.

— Ça va, ça va », dit Hori, qui n'est pas susceptible.

Le travail d'Hori n'avance pas, tant la dalle est épaisse. Déconcerté par la résistance du rocher, Hori rejoint ses camarades qui, épuisés par leur longue marche, sont déjà endormis.

Toute la journée suivante, les compagnons se succèdent pour desceller la pierre. Le tombeau paraît invincible et le découragement gagne le groupe. À nouveau les compagnons dînent frugalement et s'endorment sur le sol. Au milieu de la nuit, Hori se relève et recommence à frapper sur le rocher. Chacun écoute les coups réguliers et puissants qui résonnent étrangement dans le silence nocturne. Soudain, Hori fait un bond en arrière : la dalle de granit vacille, puis s'abat sur le sol dans un bruit fracassant qui se répercute en écho dans la vallée. Les amis courent rejoindre le tailleur de pierre devant l'ouverture du rocher. L'un après l'autre, ils sont saisis par la même crainte et la même consternation : la tombe de Taa n'est qu'un énorme et déconcertant trou sombre. Il s'en dégage une odeur lourde, fade, écœurante.

À l'aube, Didiphor se met à pousser de grands cris, car il est d'usage que les singes aident, par leur clameur, le soleil à sortir de la nuit. Enfin, les premiers rayons pénètrent dans le rocher. Et d'un seul coup le gouffre noir révèle sa splendeur. Il resplendit d'innombrables étoiles d'or, jetées dans le bleu profond qui recouvre les murs et le plafond du couloir d'entrée.

« Il y a un deuxième ciel dans la montagne ! »

s'exclame Penou, qui se précipite aussitôt dans la tombe en compagnie de Peikaru.

Tétiki contemple l'irréelle étrangeté de ce poudroiement d'or enfermé dans les rochers noirs. Telle est bien la demeure d'éternité digne d'un pharaon. Telle est la demeure d'un roi si solitaire, si inaccessible qu'elle doit se dérober aux regards des hommes et dissimuler sa splendeur dans la vallée la plus sombre du plus aride désert.

Penou découvre la tombe avec ravissement. Le couloir est haut et large, entièrement peint. Au milieu des étoiles s'étend Nout, la déesse de la voûte céleste. Ses pieds et ses mains reposent sur le sol tandis qu'elle lève son corps le plus haut possible pour éloigner le ciel de la terre. Des dieux tendent leurs bras pour l'aider à se maintenir en l'air, afin d'empêcher la voûte céleste de s'effondrer sur le sol, ce qui amènerait la fin du monde.

L'enchantement de Penou ne dure pas longtemps. Le couloir est muré à son extrémité par une porte de pierre. Sur celle-ci, se détache en couleurs vives l'image effrayante d'un homme qui hurle de douleur. Son corps est transpercé par un pieu. Des hiéroglyphes s'adressent au visiteur éventuel.

« Qu'est-ce qu'on a écrit ? » demande Penou, affolé.

Peikaru déchiffre le message de Taa :

« Toi qui viens piller ma tombe et disperser ma

momie, crains la vengeance de mon ka. Il engloutira ton cadavre dans la mer, il jettera ta famille aux crocodiles, il te livrera au feu du roi en son jour de colère. »

« La malédiction du pharaon », balbutie Penou, terrifié.

Peikaru se met à trembler :

« Il faut prévenir les autres », dit-il.

Tous deux remontent sans rien dire.

« Qu'avez-vous vu ? demande Tétiki, surpris par leurs visages décomposés.

— La malédiction du pharaon », dit Penou en s'approchant de Tétiki. Il ajoute d'un ton suppliant :

« Il ne faut pas aller dans la tombe. Le feu du roi sera sur nous dans sa colère. Nos cadavres rouleront dans la mer. C'est écrit, c'est écrit. »

Tétiki dévisage ses compagnons. Peikaru est encore tout tremblant. Hori regarde ses pieds en silence. Didiphor contemple l'entrée de la tombe en se grattant nerveusement la tête. Alors Tétiki s'adresse à tous, d'une voix claire et assurée :

« Pharaon lit au fond des cœurs. Il sait que nous ne sommes pas des pilleurs de sarcophages. Si nous ne faisons rien, les Hyksos viendront disperser sa momie et lui enlever le repos de l'éternité. Est-ce cela que vous souhaitez ? »

Et, sans attendre de réponse, il saisit le ciseau de cuivre et le marteau et entre dans le rocher. Kanefer se redresse à son tour et le rejoint. Pendant qu'ils s'efforcent d'abattre la porte, l'obscurité envahit soudainement le couloir.

« Qu'est-ce qui se passe ? demande Tétiki.

— Les rayons du soleil ne pénètrent plus dans la montagne, lui explique Kanefer. Mais ne te fais pas de souci, j'ai apporté des miroirs. »

Kanefer pose à l'entrée du tombeau un grand disque bombé de cuivre porté par un manche en forme de colonnette. Le cuivre renvoie les rayons du soleil à l'intérieur. Ils tombent alors sur un autre miroir qui réfléchit la lumière sur un troisième.

Tétiki répartit la tâche de chacun. Didiphor, qui refuse obstinément d'entrer dans une demeure d'éternité, surveillera les environs. À tour de rôle, un compagnon fera tourner les miroirs en fonction du soleil. Par groupe de deux on descendra dans la tombe. On fera un roulement car l'air y est lourd et asphyxiant.

Penou, qui veut se faire pardonner son affolement devant le pilleur empalé, se propose le premier. Hori demande à l'accompagner. Tous deux descendent à nouveau le couloir, abattent la deuxième porte et pénètrent dans une première chambre.

« C'est la salle d'accueil de l'âme », dit Hori qui aime donner des explications.

Au centre, trône en effet une statue d'Osiris, le dieu du royaume des morts. Il porte un long fourreau blanc et une haute mitre blanche flanquée de part et d'autre de deux plumes d'autruche. Une longue barbe fine et recourbée descend sur sa poitrine. Ses mains croisées tiennent le sceptre et le fouet du pouvoir. Un magnifique collier d'or orne son cou.

« Par Horus, dit Hori, il y a deux portes. Je ne sais pas laquelle prendre. On va demander à Kanefer. »

Penou, qui n'aime pas le scribe et cherche à l'éviter le plus possible, affirme avec assurance :

« C'est la porte de droite.

— Tu en es certain ? » demande Hori.

Penou hoche la tête, un peu confus de son mensonge.

« Dans tous les cas, dit Hori, ce sera vite fait. Le limon qui attache les pierres n'est pas très résistant. »

Et il se met à frapper de grands coups sur les pierres. Mais la porte oppose une résistance inattendue. L'air est lourd et humide et le tailleur de pierre transpire et s'essouffle.

« On respire mal, ici ! » dit-il.

Pour reprendre son souffle, il pose son marteau et s'approche de Penou qui regarde les peintures sur les murs. Elles représentent le jugement d'Osiris. Le dieu se tient sur un trône devant une grande balance à deux plateaux.

« À quoi sert la balance ? demande Penou.

— C'est pour juger le mort. On pèse son cœur. »

Hori, qui retrouve petit à petit sa respiration, suit le dessin avec son doigt :

« Tu vois là ce petit cœur posé dans ce plateau, c'est le ka du mort. On pèse ses actions.

— Avec quoi les pèse-t-on ? demande Penou.

— Avec la plume de la déesse Maat. Elle est dans l'autre plateau.

— Elle pèse lourd ?

— Elle pèse le poids de la justice.

— Et ici ? interroge Penou en montrant Thot, le dieu à tête d'ibis, qui écrit sur un grand rouleau.

— C'est le dieu des scribes. Il note le résultat. Si tes mauvaises actions sont plus lourdes que la plume de Maat, on te donne à manger à ce monstre-là qui attend, affamé. C'est le dévoreur des morts.

— Et sinon ? s'inquiète Penou.

— Sinon, par Horus, tu restes avec les dieux.

— C'est logique, reprend Penou.

— Allez, il faut continuer, dit Hori. Puisque la porte ne s'effondre pas, je vais desceller une pierre. »

Hori recommence à frapper. Enfin la pierre se détache. Derrière elle, la paroi du rocher. La porte ne mène nulle part. Elle est directement posée sur le mur.

Hori regarde Penou avec un léger reproche.

« On ne pouvait pas savoir, répond le nain en baissant les yeux.

— On a perdu du temps, constate Hori avec dépit. Il faut remonter. »

Et il se dirige vers la sortie.

« Vous auriez dû m'appeler, dit Kanefer. J'aurais reconnu tout de suite la porte du ka. Cela fait beaucoup de temps perdu pour rien. »

Hori se balance sur ses grandes jambes sans répondre. Il ne veut pas mettre Penou dans l'embarras. Et puis il a eu tort de l'écouter. Mais Peikaru explose de colère :

« Vous avez perdu du temps. Maintenant, ils vont arriver. Ils arrivent, toujours très vite. Ils prendront... »

Tétiki pose sa main sur l'épaule de l'orfèvre pour le calmer :

« Ce n'est pas grave. Ils sont encore très loin. Ne t'inquiète pas. C'est à ton tour de descendre maintenant. Kanefer viendra avec toi. »

Peikaru et Kanefer disparaissent dans la tombe.

« Ça sert à quoi, la porte du ka ? demande Penou qui n'a pas osé interroger le scribe.

— C'est par cette porte que le ka du mort sort pour aller se reposer sous les sycomores. C'est aussi par là qu'il reçoit la nourriture. C'est une porte facile à reconnaître, il y a toujours des aliments dessinés dessus.

« — Tu aurais pu nous le dire avant, s'exclame Hori, mécontent de son erreur.

— Tu as raison, j'aurais dû y penser, dit Tétiki qui cherche à ménager la susceptibilité de ses amis. Mais ce n'est pas grave. Peikaru s'énerve facilement. »

Kanefer et Peikaru travaillent vite. L'ancien orfèvre attaque la première pierre de la deuxième porte de la chambre d'accueil de l'âme. Il donne des coups de ciseaux aux jointures de limon. Puis tous deux frappent, à tour de rôle, avec le marteau. Les pierres s'écroulent sur le sol. On les entend rouler, puis résonner longtemps dans la montagne.

« Il doit y avoir un puits derrière la porte, remarque Peikaru. Sinon les pierres ne résonneraient pas comme cela. »

Kanefer ne répond pas. Un grand tumulte agite son esprit. En entrant dans la chambre d'accueil de l'âme, son cœur s'est mis à battre très vite devant le collier au triple rang de perles d'or qui entoure le cou de la statue d'Osiris. Des espoirs abandonnés resurgissent dans son âme, vifs, impatients et obstinés, dansant comme des flammes folles.

Kanefer a été élève à la Maison de Vie pour devenir scribe. Son père, jardinier du grand vizir, souhaitait que son fils unique devienne fonctionnaire. C'est un métier enviable et respecté, et si on grimpe haut dans la hiérarchie des scribes, on devient vite riche et puissant. Mais il est mort,

laissant son fils sans appui ni ressources. Kanefer s'est mis au travail avec acharnement. Zélé, consciencieux, fidèle, il a réussi toutes les épreuves et mérité la considération de ses maîtres. Mais le travail seul n'assure pas toujours la réussite. Des camarades, plus paresseux mais plus riches, aux protecteurs puissants, ont obtenu les places lucratives et prestigieuses. Quant à Kanefer, il fut envoyé dans l'austère et solitaire village de la nécropole. Depuis, le ressentiment habite le cœur de Kanefer. Et voilà qu'il tient maintenant, à portée de sa main, l'occasion de prendre sa revanche, d'humilier les fils de famille, d'obtenir le pouvoir qui correspond à ses capacités. Non, il ne restera pas obscur et méprisé. S'il possède de l'or, il trouvera des protecteurs, et s'il a des protecteurs, il deviendra scribe du grand prêtre d'Amon. Oui, pourquoi pas, scribe du grand prêtre d'Amon.

Et tandis que Peikaru dégage les dernières pierres de la porte, le scribe, songeant à son avenir flamboyant, dégrafe le collier d'Osiris et le dissimule sous son pagne.

« Voleur ! lui crie Peikaru, en s'avançant vers lui d'un air menaçant, le marteau à la main. Voleur, traître, pilleur... »

Kanefer lui immobilise le bras.

« Tais-toi. C'est juste un collier. Je t'expliquerai. Ma mère est malade.

— Menteur, pilleur de sarcophage ! Que la malédiction des pharaons retombe sur toi ! »

Peikaru réussit à dégager son bras et brandit à nouveau le marteau en hurlant :

« Tétiki ! Hori ! Au secours !

— Vas-tu te taire ! » fait Kanefer en lui envoyant une gifle si forte que Peikaru vacille et laisse tomber le marteau. Kanefer le repousse du pied jusqu'au fond de la chambre, et saisit Peikaru par le dos, tenant fermement ses épaules.

« Avance, lui dit-il. Tu es un exalté, agité et stupide. Qu'est-ce qu'un collier parmi tant de trésors ? »

Et il pousse Peikaru vers la porte récemment dégagée qui s'ouvre sur un couloir noir.

« Mais il y a un puits dans le couloir ! fait Peikaru d'un ton bouleversé. Il y a un puits, j'ai entendu les pierres !

— Avance, répète le scribe.

— Ne fais pas cela, Kanefer ! La malédiction... »

Il n'a pas le temps de terminer sa phrase. Kanefer l'a précipité dans le gouffre.

Tétiki, Hori et Penou entendent un hurlement qui sort des entrailles de la terre et les glace d'épouvante.

« Qu'est-ce que c'est ? » dit Tétiki en se précipitant dans la tombe.

Dans la chambre d'accueil de l'âme, il croise Kanefer en train de remonter vers le jour.

« Qu'est-ce qui s'est passé ? » interroge Tétiki.

Kanefer raconte tranquillement les événements :

« Peikaru est tombé dans un puits. Je n'ai pas pu le retenir.

— Mais comment a-t-il pu tomber dans le puits ? Tu étais à côté de lui ? »

Kanefer donne des précisions :

« Dès que la deuxième porte a été abattue, il s'est précipité dans le couloir sans rien voir.

— Tu ne lui as pas dit d'attendre un miroir ?

— J'ai essayé de le retenir. Mais tu sais comment il était : nerveux, agité, inquiet. Il répétait sans arrêt : "Je veux voir le sarcophage de Taa. Je veux sauver Taa de leurs mains ! Ils vont arriver très vite !"

— Pauvre Peikaru, dit Tétiki en agitant sa mèche, les étrangers l'ont trop fait souffrir. Il en a perdu la raison. »

Puis, s'adressant à Kanefer :

« Ne reste pas ici. Va retrouver les autres. Tu dois être bouleversé. »

Alors Tétiki s'approche du puits destiné aux voleurs. Il s'agenouille près du rebord et appelle :

« Peikaru ! Peikaru ! Réponds-moi ! »

Mais aucune parole, aucun cri, aucun gémissement ne se font entendre. Alors le garçon prend un poinçon de cuivre et grave sur la paroi : PEI-KARU. Car celui dont le nom est écrit dans une tombe obtient la protection des dieux dans le royaume de l'éternité.

Le dîner se passe dans le silence le plus complet, chacun suivant le cours de ses pensées. Kanefer sent contre sa peau le collier de perles dissimulé sous son pagne. Cela tient chaud, l'or, pense-t-il. Il ira dissimuler le bijou sous un rocher de la combe, dès que ses camarades seront endormis. Hori se sent envahi par le doute et la crainte. La brusque folie de son ami serait-elle une malédiction de Pharaon ? Sont-ils tous condamnés à un châtiment proche ? Vont-ils disparaître les uns après les autres dans cette montagne noire ? Pour chasser ses sombres pressentiments, il se lève brusquement :

« Il faut que je marche, dit-il. J'ai trop d'idées dans la tête. »

Kanefer se lève à son tour :

« Je t'accompagne. »

Hori se retourne vers lui et lui sourit avec compassion :

« Le plus dur est pour toi, Kanefer. Tu n'as rien pu faire pour l'aider. »

Kanefer a un imperceptible sourire, et tous deux s'éloignent dans la nuit. Alors Penou s'approche de Tétiki.

« À quoi penses-tu, Tétiki ? Tu ne dis rien.

— Je pense à Peikaru. Je l'aimais bien.

— Tu crois qu'il est devenu fou ?

— Certainement. Je ne vois pas d'autres explications. Il a été trop malheureux.

— Ah ! Parce que tu crois que le malheur rend fou, toi !

— Ce n'est pas le moment de faire ce genre de considération, dit Tétiki agacé. Tu parles comme un prêtre maintenant ? »

Mais Penou fait semblant d'ignorer le ton persifleur de son ami et poursuit :

« Parce que si Peikaru n'est pas devenu fou, cela signifie que Kanefer t'a menti.

— Qu'est-ce que tu veux dire ? » fait Tétiki, de plus en plus énervé par les propos de Penou.

Le nain lui répond avec solennité :

« Je veux dire que Kanefer me donne des frissons dans le dos. »

Tétiki siffle d'exaspération.

« Ne recommence pas, Penou, à dire des bêtises. Je trouve que Kanefer est très utile et fidèle. Je ne changerai pas d'avis. »

Penou regarde son ami en secouant la tête d'un air consterné :

« Il y a des choses que je sens et que tu ne sais pas sentir. »

Tétiki lui jette un coup d'œil bref. Penou ajoute avec humeur :

« Tu ne vois pas qu'il a une araignée dans la tête qui le démange ? »

Puis, laissant le garçon réfléchir à ses paroles, il s'éloigne dans la combe et se met à jouer du sistre sous les étoiles.

7

La course aux trésors

Tandis que Tétiki et ses compagnons approchent de leur but, Antef et ses complices traversent le désert sous la conduite d'un vieil homme. C'est un ancien ouvrier de la nécropole qui vit retiré et solitaire. La rumeur de Thèbes affirme qu'il connaît chaque pierre de la rive de l'éternité et lui attribue plus de cent ans.

C'est Makaré qui a été chargée de lui demander de servir de guide. Mais au seul nom du temple souterrain il s'est enfermé dans un silence farouche. La guerre avec les Hyksos l'a rendu méfiant. Pour le convaincre, Makaré a inventé un projet du pharaon : elle lui dit qu'Ahmosis souhaiterait construire un nouveau temple, à côté de l'ancien, dès que la guerre sera terminée. Le vieil homme en a eu les larmes aux yeux.

Maintenant, il marche d'un pas régulier et calme, se tenant très droit sous le soleil. Antef le suit, cachant mal son impatience devant la lenteur de son guide. Le centenaire s'arrête de temps à autre, pour reprendre son souffle, admirer le paysage et partager ses souvenirs avec Antef :

« Dans la troisième année du règne de Taa, lui dit-il, je suis venu ici avec le grand vizir. Pas le vizir de maintenant. Avec son père... C'est que mes yeux en ont vu des pharaons et des grands vizirs ! »

Et le vieil homme cherche des yeux la considération d'Antef qui lui adresse un bref sourire crispé qui se veut charmant.

« J'ai vécu six règnes différents, reprend le vieil homme. Je suis né la cinquième année du règne de Sebekemesaf ! »

Puis il contemple à nouveau le désert et soupire :

« Le grand vizir, pas celui-là, son père, disait qu'il faudrait faire un autre temple à côté de l'ancien... Les pharaons n'auraient pas dû quitter Thèbes, il y a 400 ans... Tu aimes Thèbes toi aussi, dit-il à Antef, je le sens. »

Antef avec un rictus bref lui fait signe d'avancer.

Arrivé devant le temple de Mentouhotep, le vieil homme quitte le préposé aux soldats et rebrousse chemin. Antef rassemble ses quatre complices :

« Cherchez la coiffe rouge », ordonne-t-il.

Les hommes s'affairent parmi les statues, se moquant de leurs bras cassés, de leurs nez ébréchés, de leurs couronnes brisées. Ils parlent fort et font tant de bruit qu'ils effraient la gazelle qui s'enfuit avec son petit. Un des complices s'adresse au dieu Amon en fracturant la tête de sa statue avec une hache :

« Par Seth ! dit-il, tous tes temples seront bientôt détruits et tes images effacées. Tu verras Ahmosis traîner derrière un char le jour de sa défaite. »

Enfin ils découvrent la coiffe rouge de Mentouhotep dans laquelle ils cherchent en vain une image mutilée de Seth. Les hommes s'étonnent et dévisagent leur chef :

« Que se passe-t-il, Antef, demande l'un. Pourquoi ne trouve-t-on rien ?

— Pourquoi nous as-tu emmenés ici pour briser inutilement des statues ? » demande l'autre.

Antef plisse ses yeux rusés et répond de sa voix de miel :

« Les choses vont mieux ainsi. Le travail en sera plus facile. »

Malgré ce propos rassurant les hommes restent méfiants :

« Quelqu'un est déjà passé par ici ! suggère l'un.

— Dis-nous la vérité ! demande l'autre.

— La vérité est douce à vos oreilles, répond Antef. En effet, un garçon est passé par là, il y a quelques jours. Maintenant, il doit être en train d'ouvrir la tombe. Mais il ne sait pas qu'il l'ouvre pour nous. Nous allons le rattraper et le faire prisonnier. Nous le dénoncerons à Pharaon. Et pendant qu'il sera jugé et condamné nous emporterons les trésors. »

Les hommes sourient de plaisir en écoutant leur chef :

« La ruse du serpent est en toi, dit l'un avec admiration.

— Maintenant, cherchez autour du temple une pierre gravée avec l'image mutilée de Seth. Elle indiquera la direction à suivre », ordonne Antef.

Cette fois-ci, les hommes trouvent facilement une pierre gravée. Ils en trouvent plutôt trop : l'une indique le nord, l'autre le sud, la troisième l'est, et on découvre même un caillou gravé au sommet de la falaise. Antef devine aussitôt l'habile manœuvre du fils de Ramose et murmure :

« Que le crocodile t'attaque sur les eaux ! Que le serpent t'attaque sur la terre ! »

Les hommes le regardent avec perplexité, devinant un contretemps qu'ils ne comprennent pas. Mais leur chef ne juge pas utile de leur dévoiler le stratagème de Tétiki, stratagème que ni lui, ni

Makaré n'ont prévu. Aussi parle-t-il à ses complices avec colère, préférant la menace aux explications embarrassées :

« Cherchez partout ! Ce désert n'est pas si grand. Trouvez une tombe ouverte, un traîneau chargé d'un sarcophage, un nain qui danse en agitant ses crotales. Trouvez n'importe quel indice, mais ramenez ici l'or du pharaon. Sinon, par Apopi qui attend ce trésor, que Seth abîme vos yeux s'ils ne savent pas voir, vos oreilles si elles ne savent pas entendre, vos pieds s'ils ne savent pas marcher ! »

Dans la vallée des rois le travail a repris. Chacun paraît avoir oublié l'accident survenu à Peikaru tant est grande la fièvre de découvrir le trésor. Toutefois Tétiki reste préoccupé. Au réveil, il s'est souvenu des soupçons de Penou concernant Kanefer. Il sait que le nain a beaucoup voyagé et connaît les hommes mieux que lui, qui a été si naïf avec Makaré. Les paroles d'Imhotep lui reviennent en mémoire : « L'œil de l'homme voit l'eau transparente, mais n'aperçoit pas le crocodile qui se cache dans le limon de la rivière. » D'ailleurs pourquoi le scribe, au milieu de la nuit, s'est-il éloigné jusqu'au fond de la combe avec tant de discrétion ? Pourtant il n'y a aucune raison de se méfier de lui. Depuis le matin, Kanefer a redoublé d'efforts et d'invention. Il a confectionné une sorte de passerelle avec des pieux d'acacia très résistants qu'il avait apportés de Thèbes sur le traîneau.

Maintenant, Kanefer pose la passerelle sur l'ouverture du puits afin d'en recouvrir totalement l'orifice. Hori s'engage le premier sur ce pont improvisé :

« Fais attention ! crie Penou.

— Ne t'inquiète pas, répond Hori joyeusement. Ce n'est pas aujourd'hui que j'entrerai au royaume d'Osiris ! »

Le deuxième couloir conduit à la chambre des offrandes que Tétiki franchit en proférant la phrase rituelle :

« Milliers de pains, milliers de cruches de bière, milliers de bœufs, milliers d'oiseaux, milliers de vêtements et milliers de toutes bonnes choses pour le ka de Taa le Brave. »

Au milieu de la pièce se tient la statue du ka du pharaon, reconnaissable aux deux bras posés en équerre sur sa tête, les mains ouvertes levées vers le ciel. Sur les peintures qui recouvrent les parois de la chambre, Taa, assis sur un tabouret, son sceptre à la main, reçoit les offrandes de ses serviteurs. En longue procession, des fellahs aux cheveux courts et au pagne blanc apportent une

paire de canards, des grappes de raisin, des
galettes de pain, une amphore de vin et deux
cruches de bière. Les femmes préfèrent lui offrir
des objets plus futiles : des sandales pour décorer

ses pieds, une harpe pour le distraire, des parfums et des fards pour satisfaire sa coquetterie.

Sur le sol, des petites statues en bois, représentant des paysans, des ouvriers et des soldats, sont à la disposition du pharaon pour le servir.

« Par Hathor, dit Penou, c'est la même vie que sur la terre !

— Je préfère quand même la vie sur terre ! répond Hori en riant. Un soleil peint, cela réchauffe moins qu'un soleil dans le ciel. »

Déjà Hori s'acharne sur une nouvelle porte. Dès que la première brèche est ouverte, il s'en approche pour distinguer ce qui se trouve dans la chambre suivante.

« Penou, viens voir ! C'est le mobilier du pharaon. »

Penou jette un coup d'œil à son tour, fasciné par les trésors qu'il découvre. Là, se trouvent rassemblés tous les objets dont le roi peut avoir besoin dans sa nouvelle vie. Pour dormir, un lit de bois doré surmonté de têtes de chien. Pour s'asseoir, un trône recouvert d'or et de pierres précieuses. Pour se divertir, un jeu du serpent, un jeu du chacal et du chien, un crocodile en bois, des poupées. Pour faire de la musique, une harpe et une flûte. Pour chasser et faire la guerre, un bouclier, un arc et des flèches, des poignards, des lances, des haches. Puis de la vaisselle d'or, des perruques, des éventails, et enfin un énorme coffre d'argent rempli de bijoux fabuleux.

La découverte du mobilier du pharaon plonge Tétiki dans une grande perplexité. Il doit tout de suite commencer à cacher le trésor. Mais peut-il faire confiance à Kanefer et lui révéler la cachette ? Dans tous les cas, il ne peut rester comme cela, à hésiter toujours entre la confiance et le soupçon. Il faut qu'il sache la vérité et oblige le scribe à révéler ses véritables pensées. Tétiki réunit donc ses compagnons et tous s'installent, les jambes croisées, devant la montagne noire et la brèche brillante d'étoiles d'or du couloir de Nout. Tétiki prend gravement la parole :

« Pour ne pas perdre de temps, je vais aller cacher le mobilier funéraire. »

Puis il attend la réaction du scribe. Celui-ci déclare d'une voix calme :

« J'irai avec toi.

— Non, tu resteras ici avec Hori pour trouver le sarcophage. J'irai avec Penou », dit Tétiki.

Kanefer reste impassible et se contente de remarquer :

« Je peux t'être utile pour trouver une cachette. Je connais mieux le désert que toi.

— Ses paroles sont justes, confirme Hori. Il connaît mieux le désert que toi. »

Le garçon attend un instant. Un vol de cailles passe

au-dessus de leurs têtes dans un pépiement joyeux. Penou dévore son ami des yeux. Hori le regarde de son bon regard franc.

« Je connais déjà une cachette, finit par dire le garçon avec une fausse indifférence.

— Où est-elle ? » demande Kanefer imperturbable.

Tétiki hésite un moment avant de répondre :

« Il est plus sage que deux d'entre nous seulement en connaissent l'emplacement. »

La bouche du scribe est secouée d'un léger tremblement vite réprimé et Kanefer interroge le garçon d'un bref regard étonné. Tétiki explique sa décision.

« La prudence doit conduire nos actions. Les Hyksos savent extorquer les aveux sous la torture. Il est plus facile de se taire quand on ne sait rien.

— Tétiki a raison, dit Hori. Mieux vaut que le secret soit gardé. Par Horus ! Ils pourront toujours essayer de me faire parler », ajoute-t-il en riant et en claquant ses mains sur ses jambes.

Une grande panique agite l'esprit de Kanefer. Mais il ne laisse transparaître qu'une pointe de déception :

« Ta confiance va à Penou plus qu'à Hori et à moi. Et Penou a peur d'une chauve-souris. »

Le nain sursaute devant l'accusation, puis baisse la tête, confus. Il doit bien reconnaître que Kanefer a raison : il a peur des chauves-souris et de tellement d'autres choses encore. Mais Hori vient à son secours :

« Ceux qui connaissent souvent la peur savent mieux que les autres vivre avec elle. »

Kanefer a retrouvé son calme. Il pense que pour le moment il est inutile d'insister. Son heure viendra plus tard. Aussi accepte-t-il la situation avec résignation :

« Tu as raison, Tétiki. Nous allons tout de suite charger le traîneau. Il ne reste plus que cinq heures de soleil. »

Quelques heures plus tard, Tétiki et Penou s'en vont, tirant avec des cordes un étrange déménagement. Sur le traîneau sont attachés le lit, le trône, tous les objets précieux et surtout le coffre plein de bijoux. L'étrange attelage cahote sur le sol irrégulier comme un gigantesque lézard d'or avançant maladroitement sur les pierres noires.

Didiphor gambade joyeusement, heureux de s'éloigner de la tombe. Tétiki est soucieux : il pense à la réunion qui vient d'avoir lieu.

« Tu es convaincu maintenant, pour Kanefer ! » conclut fièrement Penou. Tétiki ne répond pas. Il paraît entièrement absorbé par l'effort : le traîneau est très lourd et risque, à tout instant, de buter contre une pierre et de se renverser. La solitude, le silence, l'instabilité du chargement rendent le nain nerveux :

« Enfin parle, Tétiki, crie-t-il. Si tu crois que c'est drôle d'être toujours dans un tombeau et le reste du temps dans un désert ! S'il faut encore que tu deviennes muet comme un poisson dans le ventre d'un crocodile !

— Je ne suis pas convaincu, finit par avouer le garçon. Kanefer a très bien réagi à tout ce que j'ai proposé. »

Et il ajoute avec tristesse :

« Je crois que je ne suis pas capable de discerner le mensonge de la vérité. »

Penou est bien obligé de constater que Kanefer paraît irréprochable. Il faut une sensibilité exceptionnelle qui donne des frissons dans le dos pour envisager de mettre en doute sa loyauté. Et si ses frissons le trompaient ! Penou rougit à cette perspective et change de sujet de conversation :

« Tu as vraiment une cachette ? Où est-elle ?

— Dans la nécropole des singes. Personne n'aura l'idée de venir chercher la momie dans un cimetière d'animaux.

— C'est loin, soupire Penou.

— Non, j'ai trouvé un raccourci. Un petit col qui débouche juste sur la nécropole et qui évite de faire le détour par le fond de la vallée. Je l'ai trouvé la nuit dernière. »

Pour arriver à la grotte des singes, il faut franchir

deux chaînes de collines. Hisser le lourd chargement dans la pente est plus pénible que prévu. Après d'immenses efforts ils arrivent sur la première crête. Penou se redresse et essuie son front couvert de sueur.

« Pourquoi tout est-il recouvert d'or dans les tombes ? demande-t-il.

— L'or est la chair des dieux et du soleil. Elle est incorruptible. Celui qui est recouvert d'or devient comme un dieu.

— Pourquoi ne pas donner l'or aux vivants ?

— Parce que la vie sur terre est très courte, dit Tétiki. Tandis que la deuxième vie est sans fin. Il vaut mieux garder l'or pour une vie qui dure éternellement. »

« Ils sont vraiment logiques, les Égyptiens », songe Penou.

« Viens voir, Kanefer, ce doit être ici », crie Hori.

Dans la chambre du mobilier funéraire, Hori examine une porte entourée par deux ailes de vautour. Au centre, une boucle ovale entoure le nom du pharaon : Taa, Horus d'Or, Roi de Haute et de Basse-Égypte, fils d'Amon.

« Viens voir, répète-t-il. Il y a le cartouche du pharaon. »

137

Kanefer rejoint Hori, déchiffre le cartouche à son tour et conclut :

« C'est sûrement la chambre de la momie.

— Je n'ai plus envie d'entrer, dit Hori.

— Qu'est-ce qui te prend ? fait le scribe.

— Regarde ce qui est écrit : "Ô toi, visiteur inconnu, si tu ouvres mon sarcophage, prononce mon nom pour que mon ka vive dans l'éternité."

— Et alors ? interroge le scribe.

— C'est triste de penser que Taa a envisagé le pillage de son tombeau. C'est triste que rien ne dure, même pas les demeures d'éternité ! »

Kanefer hausse les épaules :

« Tu peux méditer tant que tu veux sur le temps qui passe. Mais moi je vais ouvrir la porte. »

Et il commence immédiatement à frapper sur la première pierre. À peine est-elle tombée sur le sol que, tendu comme un chasseur qui attend sa proie, il se précipite pour regarder à travers le trou.

« Que vois-tu ? demande Hori.

— Rien. Tout est noir. Apporte un miroir que l'on puisse éclairer.

— C'est bien la chambre de la momie ? s'enquiert Hori avec lassitude.

— Je ne sais pas. Je ne peux rien voir. Mais dépêche-toi donc, je t'ai demandé un miroir. »

Hori va chercher un disque de cuivre. Quand le rayon de lumière pénètre de l'autre côté du mur, Kanefer reste longtemps immobile devant la porte.

« Qu'est-ce que tu vois ? demande à nouveau Hori.

— Je vois un mur d'or.

— Que vois-tu d'autre ?

— Rien d'autre. Seulement un mur tout en or. »

8

Les bijoux de la momie

La chambre de la momie est presque entièrement remplie par un grand catafalque rectangulaire de deux mètres de haut et de quatre mètres de long. Il est en bois recouvert de plaques d'or entièrement gravées qui représentent la vie du pharaon dans le royaume des ombres. Dans l'espace étroit qui sépare le catafalque des murs, Kanefer tourne en rond, cherchant la méthode à suivre :

« Il faut démonter le catafalque. C'est la seule solution car on ne peut pas bouger. »

Hori se tient dans l'embrasure de la porte, sans oser entrer. Le catafalque, comme un immense miroir, renvoie la lumière sur les murs de la chambre, faisant étinceler les peintures d'un éclat féerique. Même le désespoir des pleureuses aux cheveux longs, qui tordent leurs bras de douleur, lui paraît merveilleux.

« On se croirait dans le soleil ! s'exclame-t-il.

— Viens plutôt m'aider, lui dit Kanefer.

— Tu es entré sans prononcer le nom de Pharaon, remarque Hori, plein de respect et de timidité.

— Prononce-le, toi », fait le scribe avec indifférence.

Hori connaît mal la rhétorique fleurie des textes funéraires et se contente de dire simplement :

« Qu'Osiris, dieu du monde souterrain, et Amon-Rê, roi des dieux, protègent le ka de Taa dans le royaume de l'au-delà. »

Kanefer continue son inspection.

« Il faut détacher tous les côtés. Je vais monter sur le catafalque pour faire sauter les jointures du couvercle. Toi, tu feras la même chose aux angles des quatre côtés. »

Tous deux se mettent au travail. Les fines plaques d'or se détachent facilement du bois qu'elles recouvrent. Bientôt les côtés se séparent les uns des autres, découvrant, à l'intérieur du catafalque, un deuxième catafalque semblable au premier, mais de

dimensions plus réduites. Kanefer reprend aussitôt les outils.

« Il faut recommencer tout de suite, tant qu'il y a de la lumière. »

La nuit est tombée lorsque Tétiki, mort de fatigue, revient avec le traîneau vide. Il se réjouit de voir Hori et Kanefer qui finissent paisiblement de dîner. Ses soupçons n'étaient qu'un mauvais rêve. C'est cette tombe qui le rend tourmenté et méfiant.

« On a trouvé la chambre des sarcophages, leur annonce joyeusement Hori.

— Et vous avez trouvé la momie ? interroge Penou.

— Pas encore, répond Hori en riant. La momie est bien gardée. Nous avons seulement enlevé les deux premiers sarcophages, couverts de plaques d'or.

— Il y en a combien ? demande Penou.

— Cinq ou six, précise le scribe.

— Ils n'ont pas pensé que les Hyksos nous poursuivraient, sinon ils auraient mis moins de boîtes », constate Penou qui commence à trouver le temps désespérément long dans la vallée des morts.

Le souvenir des Hyksos, que tous avaient oubliés dans l'enthousiasme de la découverte, jette une ombre dans leur cœur.

« J'emporterai demain matin les plaques d'or, pendant que vous ouvrirez le deuxième sarcophage », décide Tétiki.

Et, sous le regard inquisiteur de Kanefer, il mange en silence, songeant à tout ce qu'il lui reste encore à faire.

Dans le deuxième catafalque se trouve un sarcophage de granit, fermé par une grande dalle taillée dans un seul bloc de pierre et couverte d'inscriptions. Et dans le sarcophage de granit se trouve un quatrième sarcophage de bois noir. Il n'est plus rectangulaire mais épouse la forme du corps humain. Il ressemble à une immense poupée de bois représentant Pharaon. Sur le corps du sarcophage, des dessins racontent la terrible bataille où Taa, couvert de blessures, a perdu la vie. Des hiéroglyphes donnent les formules pour se procurer ce qui est utile dans le monde inférieur. Certaines concernent la vie quotidienne du mort : comment sortir le jour, ne pas marcher la tête en bas, respirer l'air, boire l'eau, prendre passage sur le bateau de Rê, et même comment ne pas manger d'excréments.

D'autres conseils sont plus graves : comment donner à son cœur bonne conscience, comment chasser le mécontentement divin, et surtout comment ne pas mourir à nouveau. De chaque côté du sarcophage, un œil oudjat, l'œil fardé du faucon céleste, permet au ka du défunt de voir ce qui se passe à l'extérieur. Kanefer ouvre le sarcophage noir : il contient un autre sarcophage en bois, recouvert d'or et de lapis-lazuli d'un beau bleu profond.

« Tu crois que c'est le dernier ? demande Hori.

— Non. Le dernier doit être tout en or. »

Et aussitôt Kanefer dégage le couvercle.

Sur son visage habituellement inexpressif, passe un long sourire heureux.

« C'est bien le sarcophage d'or », murmure-t-il.

Il représente Pharaon, tenant à la main le sceptre et le fouet. Ses grands yeux en amande expriment une sérénité divine.

« Enfin, c'est la momie », dit Kanefer les yeux brillants.

Mais au moment où il avance le bras pour découvrir la momie de Taa, Hori pose une main ferme sur son épaule :

« Tu ne l'ouvres pas.

— Juste pour voir ses bijoux, dit Kanefer.

— Non, tu n'ouvres pas, répète Hori. Nous ne sommes pas ici pour dévoiler la momie. Mais pour la protéger des envahisseurs. »

Le ton est calme mais déterminé. Le scribe pense qu'il serait vain de discuter avec le tailleur de pierre car il est têtu comme un âne. Il serait aussi, non seulement vain, mais de surcroît dangereux, de lutter avec lui, tant sa taille est grande et sa force supérieure à la sienne.

« Tu as raison, répond-il doucement. On va simplement transporter le sarcophage à l'extérieur. Comme cela il sera prêt pour le traîneau de Tétiki. »

Hori accepte la proposition. Il saisit le sarcophage

par la tête, tandis que Kanefer le prend par les pieds. Hori marche à reculons en suivant les conseils du scribe qui lui indique la direction à prendre. Ils traversent ainsi la chambre du mobilier funéraire, puis la chambre des offrandes, passent au-dessus du puits et arrivent enfin dans la salle d'accueil de l'âme.

Ce que voit alors Kanefer fait palpiter son cœur d'une joie sourde. En un éclair se confondent, dans une brièveté fulgurante, la splendeur du temple d'Amon, les bijoux de Taa et la disparition d'Hori. La cause de ce grand tumulte intérieur est un scorpion, attiré par la fraîcheur et l'humidité de la tombe. L'animal traverse lentement la salle, s'éloignant du monstre dévoreur de morts pour se diriger vers Osiris.

« Va un peu plus à droite, Hori », dit Kanefer.

Le tailleur de pierre change de direction. Mais cette fois-ci il a dévié trop à droite et risque de contourner de l'autre côté l'animal à la queue venimeuse.

« Non, un peu plus à gauche, s'exclame le scribe.

— Par Horus, tu me fais marcher en zig-zag ! Je ne comprends pas où tu me fais aller.

— C'est bien comme cela », reprend le scribe d'une voix rassurante.

Hori fait trois pas en arrière puis s'écrie :

« Pose le sarcophage tout de suite. »

Malgré la violence de la douleur, Hori dépose très

doucement le sarcophage sur le sol, puis regarde son talon : il est rouge et gonflé et une douleur lancinante lui brûle la jambe. Hori s'accroupit par terre.

« Je ne comprends pas ce qui m'est arrivé.

— Ce n'est certainement pas grave, répond Kanefer innocemment.

— J'ai été piqué au talon », constate Hori, soucieux.

Et il cherche autour de lui la cause de son mal. Son visage se fige en découvrant le scorpion qui continue tranquillement son chemin sur les dalles de pierre. En un instant, Hori comprend avec horreur la perfidie de son compagnon.

« C'est toi, murmure-t-il. Pourquoi as-tu fait ça ?

— Qu'est-ce que tu imagines ? dit Kanefer d'un ton indigné. Pourquoi m'accuses-tu sans raison ? »

Hori lui jette un regard douloureux et répète :

« C'est toi, j'en suis sûr. Tu as fait exprès de me diriger vers lui. C'est toi aussi qui as tué Peikaru. Pourquoi ? Mais pourquoi fais-tu cela ? Pourquoi empêches-tu... »

La souffrance devient intolérable et empêche Hori de parler davantage. Le venin a paralysé sa jambe et monte maintenant dans son corps. Le tailleur de pierre se contracte violemment, s'allonge sur le ventre, et se traîne sur les bras vers la sortie de la tombe.

« Où vas-tu ? demande le scribe.

— Voir le soleil. Je veux voir le soleil encore une fois », balbutie Hori d'une voix saccadée.

Et pendant qu'Hori rampe sous la voûte étoilée de Nout en gémissant de douleur, Kanefer s'approche du cercueil d'or. Il en soulève le couvercle et examine longuement la fabuleuse momie du pharaon. Sur le visage de Taa est posé un masque d'or massif, rehaussé d'émaux rouges et bleus. Sur sa tête, une coiffe aux larges plis retombant sur les épaules, le némès, est d'or incrusté de lapis-lazuli. Son corps est entouré de bandelettes blanches dissimulées sous une longue robe de lin. Partout étincellent des bijoux. Les doigts de chaque main sont enchâssés dans des doigtiers d'or. Autour du cou un collier à triple rang d'or et de cornaline. Sur la poitrine un grand pectoral rectangulaire, d'or incrusté d'améthystes violettes. Sur le ventre, un double œil oudjat en or et en turquoise. À côté de la momie un poignard ciselé dans son fourreau incrusté de pierres précieuses. D'innombrables amulettes en riches matériaux protègent le roi contre les dangers de l'au-delà. Un papyrus roulé contient des incantations aux dieux afin qu'ils veillent sur le ka du pharaon.

Hori délire devant l'entrée du tombeau. Ses yeux se brouillent et voient des mirages. Il croit apercevoir ses amis qui reviennent avec le traîneau vide et leur crie :

« Tétiki ! Penou ! Kanefer m'a tué ! C'est un assassin ! Il est dans la tombe. »

En entendant ses cris, Kanefer prend peur, croyant Tétiki de retour. Il court chercher les flèches et l'arc du pharaon dans la salle du mobilier funéraire, revient saisir au passage ce qui est le plus facile à enlever sur la momie de Taa : le masque et le double œil oudjat. Puis il avance prudemment dans le couloir, car il lui sera plus commode de se défendre à l'air libre.

Devant l'entrée du tombeau Hori est mort. Tétiki n'est pas devant la tombe, mais sa silhouette apparaît sur le plateau de la combe. Soulagé, Kanefer juge prudent de disparaître en attendant un moment plus favorable.

Penou sanglote près du corps d'Hori. Quant à Tétiki, le remords envahit son cœur : pourquoi n'a-t-il pas cru le nain ? Pourquoi a-t-il abandonné le tailleur de pierre ? Pourquoi ne sait-il pas discerner le mensonge de la vérité ? Mais lorsqu'il découvre le visage desséché de Taa, crûment et injustement exposé à la lumière sans son masque protecteur, il devient comme un léopard qui entre en rage. Saisissant son boomerang, il se précipite comme un fou dans le désert en hurlant :

« Je te tuerai ! Kanefer, je te tuerai ! »

Penou, médusé, sèche ses larmes pour l'appeler :

« Tétíki ! Reviens ! Tu deviens fou ! »

Mais le garçon ne l'entend pas. Il court, s'arrête par moments pour appeler le scribe, puis repart à toute vitesse dans la montagne. Il finit par disparaître derrière une colline. On entend, déformé par l'écho :

« Kanefer où es-tu ? Où es-tu ? Je vais te tuer ! »

Penou se remet à sangloter, accompagné par le babouin qui pousse des cris plaintifs.

« Va le chercher, Didiphor ! La malédiction de Pharaon est sur lui ! »

Et Didiphor se précipite à la recherche de son maître.

Penou reste seul. Le soleil vient de disparaître derrière la montagne d'Occident et l'ombre emplit la combe. Penou songe au terrible sort qui a tué Peikaru et Hori et maintenant fait perdre la raison à Tétiki. Pour chasser son appréhension, il s'efforce de penser à Éléphantine, aux pigeons grillés, aux oies du Nil, aux rires des servantes. Mais la peur revient, tenace, têtue, grandissante.

Il entend le cri d'un chacal. Puis le silence retombe, lourd de menaces. Penou dévore des yeux l'horizon de plus en plus noir, cherchant la familière silhouette de son ami. Mais jamais les montagnes de la rive de l'éternité ne lui ont paru aussi désertes et aussi désolées. Il entend rouler une pierre, puis une autre. Il sursaute et appelle :

« Tétiki ! Au secours ! »

Mais le silence revient, obsédant. À nouveau, il entend le bruit d'un éboulement de cailloux. Il tente de se raisonner :

« C'est sûrement une gazelle qui passe, ou un serpent qui glisse entre les pierres chaudes pour se chauffer le ventre. »

Il prend son sistre pour chasser ses craintes. Et les charmants grelots habitués aux fêtes et aux festins résonnent dans la lugubre vallée.

Soudain Kanefer se dresse devant lui, tenant à la main l'arc et le carquois de Pharaon. Penou pousse un cri.

« N'aie pas peur, dit Kanefer d'une voix douce. Je ne te veux aucun mal. Laisse-moi entrer seulement pour prendre les bijoux de la momie. »

Malgré son épouvante, Penou se redresse d'un bond et se plante devant l'entrée de la tombe, les bras écartés.

« Tu n'entreras pas, dit-il avec des tremblements dans la voix.

— Je ne te veux pas de mal, reprend Kanefer. Allez, laisse-moi entrer. Tu sais bien que je suis plus fort que toi. »

Mais Penou, debout et immobile, hoche la tête.

« Je te donnerai un collier à Thèbes, lui dit Kanefer. Tu aimes les colliers, n'est-ce pas ? »

Puis il ajoute d'une voix basse :

« Ne m'oblige pas à te tuer. »

Kanefer sort une flèche du carquois et commence
à ajuster son arc.

Alors Penou n'entend plus Kanefer. La peur l'envahit comme un brouillard opaque. Mais face à la mort qui le glace de terreur, Penou qu'effraie une chauve-souris, Penou décide de lutter avec ses propres armes. Et devant l'entrée du tombeau, sous le regard ahuri du scribe, il se met à danser la danse du soleil. Jamais il ne dansa comme ce soir-là. Jamais il ne fit claquer ses crotales si fort, il ne sauta si haut, il ne tourna si vite, pour ne plus entendre les battements de son cœur, pour ne plus sentir les tremblements de son corps, pour vaincre la peur.

Kanefer, un instant dérouté par l'attitude du nain, tend son arc et tire. Penou titube, fait trois pas et s'effondre. Aussitôt le scribe enjambe le nain sans lui jeter un regard et entre dans le tombeau. Sur le corps de la momie il saisit le collier à triple rang d'or et de cornaline, le pectoral incrusté d'améthystes, les doigtiers, les bracelets, le poignard, les amulettes d'or, d'argent, de lapis-lazuli, de turquoise et d'ivoire. Maintenant il en est sûr, il deviendra scribe du grand prêtre d'Amon. L'allégresse de la revanche chante triomphalement dans son cœur alors qu'il remonte le couloir de Nout. Mais à peine est-il sorti dans la combe qu'il reçoit sur la nuque le boomerang de Tétiki.

Tétiki après avoir couru et hurlé jusqu'à épuisement avait retrouvé son calme. C'est Didiphor, le premier, qui entendit l'écho des crotales qui se répercutait dans la vallée. Et tous deux se sont précipités vers la tombe.

« Penou, réponds-moi. Réponds-moi », répète le garçon.

Le nain finit par ouvrir les yeux en murmurant :

« Je suis mort. Il m'a tué. »

Puis il regarde son ami d'un air intrigué :

« Tu es mort aussi ? Nous sommes au royaume d'Osiris ? »

Tétiki est saisi d'un fou rire nerveux. Il répète sans arrêt :

« Tu es simplement mort de peur ! mort de peur ! »

Le nain, qui retrouve petit à petit la mémoire des événements, se sent blessé par cette accusation. Il déclare avec orgueil :

« Tu te trompes. Je n'ai pas eu peur du tout. J'ai été tué par une flèche. »

Et il montre sa poitrine. Il n'y a aucune trace de blessure. Mais l'amulette du vautour, aux joyeuses couleurs de faïence, est toute ébréchée.

« Ton amulette t'a sauvé la vie, dit Tétiki. Elle a arrêté la flèche. »

Penou porte le vautour à ses lèvres, murmurant des remerciements aux divinités. Puis il se dirige vers le scribe assommé à qui il reprend les bijoux.

« Je vais les remettre sur la momie », dit-il.

Puis il ajoute :

« On le réveille pour lui demander où il a caché le masque d'or et l'œil oudjat ? »

Tétiki se sent brisé de fatigue.

« Non. On s'en va maintenant. Je ne veux plus rester ici. Je veux partir le plus vite possible. On cachera la momie et tout sera fini. »

Tétiki et Penou sortent avec peine le sarcophage d'or de la tombe. Ils le mettent dans le sarcophage peint en or et en lapis-lazuli qu'ils attachent sur le traîneau. Puis ils vont chercher le corps d'Hori qu'ils fixent sur le sarcophage. Enfin ils quittent la tombe de Taa, gouffre noir désormais sans mystère.

Ils avancent très lentement vers la nécropole des singes. Tétiki est à bout de forces. Sa tête bourdonne de fatigue. Pourtant il faut tirer, tirer les trop lourds sarcophages, marcher, continuer à marcher jusqu'à ce que le cauchemar prenne fin. Et dans la royale vallée aux précipices d'ombre et aux sommets argentés par la lueur lunaire, le traîneau d'or semble une étoile tombée du ciel qui chemine maladroitement sur la terre. Il finit par disparaître à l'intérieur d'une montagne.

9

Le village
des embaumeurs

Le lendemain matin, après avoir refermé soigneusement la nécropole des singes, les trois compagnons repartent dans le désert, tirant le corps d'Hori sur le traîneau. Tétiki est totalement abattu. L'effort physique, le manque de sommeil, les émotions l'ont épuisé. Il avance comme un somnambule, le regard fixe.

Didiphor ne le quitte pas des yeux et redouble de vigilance. Il choisit pour lui les vallées les moins escarpées puis grimpe sur les crêtes environnantes pour surveiller les alentours. C'est dans une de ses explorations qu'il aperçoit deux complices d'Antef. De vigile, il devient stratège. Il prévient aussitôt Penou et tous deux mettent au point la manœuvre à effectuer. Pour séparer les deux Hyksos, Didiphor court sur la droite de la colline en poussant de grands cris, tandis que Penou se dirige vers la gauche en hurlant de douleur. L'effet espéré ne se fait pas attendre. Les deux hommes prennent chacun une direction différente pour chercher d'où viennent les voix. Alors Penou ordonne à Tétiki d'assommer la première silhouette qui passe. Tétiki, toujours dans le brouillard, obéit sans poser de question. Dans une demi-inconscience, il lance avec la sûreté des réflexes acquis son boomerang sur les deux formes humaines qu'on lui désigne.

Le soleil est au zénith et il fait très chaud lorsqu'ils descendent la falaise. Penou décide qu'il est temps de se reposer. Il recouvre le corps d'Hori de terre et de cailloux pour ne pas attirer les chacals et, dans le creux d'un éboulis au flanc d'une colline, les trois compagnons s'endorment pour ne se réveiller que le lendemain matin.

À l'aube, Tétiki, ragaillardi par dix-huit heures de sommeil, dessine un sycomore et interroge son ka :

« O mon ka, toi qui es dans mon corps pour diriger mes actes et inspirer mes paroles, fais que mon cœur soit juste pour Hori qui fut fidèle. Donne-moi la sagesse de Pharaon pour assurer la conservation de son corps et lui permettre une nouvelle vie dans le royaume d'en bas. »

Tétiki sait qu'il leur faut très vite trouver le village des embaumeurs, car ils ont tant marché déjà que ni lui, ni Penou n'ont plus la force d'errer encore au hasard. Et puis le désert est dangereux : les Hyksos l'explorent en tous sens et Kanefer doit être réveillé. Il doit trouver un signe qui indique le chemin à prendre.

Le regard attentif et rapide, l'oreille aux aguets, tel un chien de la police du désert, le garçon scrute le ciel, les oiseaux, les sommets, les vallées. Il attend en vain toute la matinée. La lumière lui brûle les yeux.

« J'aimerais tant voir le Nil, soupire Penou.

— Pas avant d'avoir enterré Hori, dit Tétiki.

— C'est vraiment injuste qu'il soit mort, dit Penou. Je l'aimais tant. »

À midi, le vent du nord se met à souffler par rafales. Il soulève une poussière chaude et étouffante. Mais il apporte aussi, par vagues, des effluves lourds et écœurants mêlés au parfum de la résine de térébinthe. Tétiki se redresse d'un bond et tend son bras vers le nord :

« Viens, Penou. Les embaumeurs sont par là ! »

À l'heure où la lune se lève, la masse sombre d'un village surgit au détour d'une vallée. L'odeur est devenue insupportable.

« Par Hathor, je vais mourir de puanteur, s'exclame Penou.

— Tu t'habitueras, dit Tétiki. Bientôt, tu ne sentiras plus rien.

— Ah ! Parce que tu penses qu'on va rester ici longtemps ! »

Penou soupire et se retourne vers Didiphor, qui suit, loin derrière, en faisant d'horribles grimaces.

Le village des embaumeurs se tient sur un plateau largement ouvert et aéré par les vents. Il est entouré d'un mur de pisé. Tétiki frappe sur la large porte de bois dont un homme entrouvre le battant avec méfiance.

« Que veux-tu, pour venir si tard dans la nuit ? grogne-t-il.

— Je viens pour faire embaumer le corps d'Hori », dit Tétiki.

L'homme paraît rassuré et demande d'une voix plus affable :

« Tu veux un embaumement de première, de deuxième ou de troisième classe ? »

Comme Tétiki paraît très surpris par sa question, l'homme croit que le garçon a mal compris et répète :

« Tu veux un embaumement de luxe, un embaumement ordinaire ou un embaumement de pauvre ?

— Je n'ai pas d'argent, avoue Tétiki. Même pour un embaumement de pauvre.

— Alors, fais un trou dans le désert et recouvre de sable le corps de celui que tu appelles Hori. S'il a de la chance, les chacals ne le trouveront pas. »

L'homme commence à refermer la porte quand Tétiki s'écrie d'une voix suppliante :

« Par le grand ka d'Amon et le ka royal de son fils Pharaon, ne laisse pas mon ami sans sépulture ! »

Puis il ajoute d'une voix plus ferme :

« Je peux vous aider. Je sais lire, écrire et compter. J'ai été dans la Maison de Vie, chez les prêtres. »

L'homme, déconcerté par cette visite tardive et cette requête inattendue, les fait entrer et les conduit au chancelier de dieu qui est le chef des embaumeurs.

Le chancelier de dieu est un petit homme décharné et sans âge, à la peau tirée comme un papyrus sur les pommettes et les os du visage.

« C'est une momie vivante », pense Penou.

De la momie, le chancelier de dieu n'a pas seulement l'apparence. Il en a aussi l'immobilité et le silence. Il pose sur les deux compagnons un long regard impénétrable, aussi calme que le reflet de l'aube sur le Nil. Puis il finit par parler, d'une voix inattendue, chantante et joyeuse comme celle d'un jeune homme :

« Celui que nous amène le désert, si tard dans la

nuit, à l'heure où les chacals rôdent, doit avoir de lourds soucis.

— Le scribe qui a partagé mes secrets m'a trahi, dit Tétiki avec véhémence.

— Garde pour toi tes soucis », lui dit le chancelier.

Tétiki rougit violemment, confus de son comportement.

Puis il demande doucement avec un sourire triste :

« Par le grand ka d'Amon, me permets-tu d'assurer des funérailles à mon ami qui ne possède rien ?

— Il est aimé de dieu celui qui respecte le pauvre et reste fidèle à ses amis ! » répond le chancelier.

Puis il ferme ses paupières. Le silence retombe dans la pièce. Le chancelier de dieu reste longtemps plongé dans ses méditations et semble avoir totalement oublié ses visiteurs. Enfin il ouvre à nouveau les yeux et murmure, comme s'il se parlait à lui-même :

« Il y a de grands troubles dans le royaume d'Égypte, et de grands tumultes dans les cœurs. Il n'est pas juste qu'ils empêchent celui dont le ka est équitable d'entrer dans le royaume d'Osiris. »

Il dévisage à nouveau les deux compagnons de son regard impénétrable :

« Vous pourrez faire embaumer votre ami. Vous resterez ici le temps nécessaire, c'est-à-dire soixante-dix jours. »

Penou étouffe un cri d'horreur que le chancelier fait semblant de ne pas remarquer.

« Toi, dit-il à Tétiki, puisque tu as été à la Maison de Vie, tu travailleras à l'atelier des viscères chez les paraschites, ceux qui fendent les corps. Et toi, dit-il à Penou, tu travailleras avec les taricheutes, ceux qui salent les cadavres pour assurer leur conservation. »

Dans l'atelier des viscères, les paraschites enlèvent tous les organes internes qui, sinon, se corromprateint avec le temps. Ils commencent par la tête : avec un crochet de cuivre remontant dans les narines, ils détachent une partie du cerveau. Puis ils décomposent le reste de l'encéphale en introduisant des drogues dissolvantes. Ce sont des drogues rares et coûteuses, car il faut les faire venir du pays de Pount, de l'autre côté du désert de l'Est.

Lorsque le cerveau est dissous, les paraschites s'occupent du corps : avec une pierre taillée, ils ouvrent le flanc du cadavre pour retirer les poumons, le cœur, l'estomac, les intestins qui sont ensuite gardés dans des vases spéciaux, appelés vases canopes.

Tétiki a toujours aimé apprendre et l'atelier des viscères remplace largement tous les cours de médecine sur la composition du corps humain. Comme il est appliqué et sérieux on le charge de la troisième activité des paraschites, celle qui consiste à redonner au cadavre, après l'enlèvement des viscères, sa forme habituelle. Tétiki apprend vite à nettoyer le corps avec du vin de palmier, à emplir le ventre de résine de térébinthe, de myrrhe et autres plantes aromatiques. On l'autorise même à recoudre les plaies, car il est très habile de ses mains.

Une fois que le cadavre, vidé de ses organes, rempli d'aromates et recousu, sort de l'atelier des paraschites, il est envoyé dans l'atelier de déshydratation. C'est là que Penou travaille avec les taricheutes pour recouvrir les corps de sel. Ils sont ensuite jetés dans un vaste bain de natron, sorte de sel calcaire que l'on dissout dans l'eau. Les cadavres restent quarante jours dans ce bain jusqu'à ce qu'ils soient totalement desséchés.

Penou est très malheureux. L'atelier des bains de natron dégage une odeur tellement nauséabonde, et le spectacle des corps se desséchant lentement est tellement pénible à voir, que le nain ne le supporte pas. Il a beau s'efforcer de penser à Hori qui mérite bien un véritable embaumement, il tombe malade. Son estomac ne tolère plus la nourriture et ses nuits sont peuplées de cauchemars. Il fait peine à voir.

« J'ai craché mon cœur et je l'ai déposé dans un vase canope, avoue-t-il tristement à son ami.

— Tu as fait un mauvais rêve, Penou », lui dit Tétiki pour le réconforter.

Mais le nain hoche la tête d'un air pitoyable :

« Le malheur est entré dans mon corps. Je le sens,

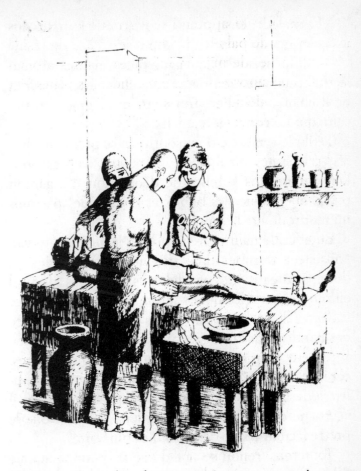

Tétiki, et il y a des choses que je sens que, toi, tu ne sais pas sentir. »

Tétiki comprend que son ami est véritablement en danger et demande une audience au chancelier de dieu.

« La maladie entre dans le corps de Penou, lui dit-il, les larmes aux yeux.

— Que l'inquiétude n'agite plus ton âme, répond le chancelier de dieu de sa voix chantante. Il suffira qu'il change d'atelier. Ton cœur qui l'aime choisira celui qui lui convient le mieux. »

Tétiki le remercie d'un sourire et se précipite chez les taricheutes où il saisit Penou par le bras pour l'entraîner dans l'atelier de décoration. Le garçon pense que la vue des bijoux et l'odeur des parfums lui rendront vite la santé.

En effet, le nain reprend goût à la vie. Son travail consiste à tremper dans des huiles parfumées de longs rouleaux de bandelettes blanches dont il entoure ensuite les doigts, les mains et les pieds des cadavres desséchés par les bains de natron. Puis, avec des bandes plus larges, il entoure le corps tout entier. Il préfère, bien entendu, la momification des riches, car il doit alors cacher, entre les bandelettes, des amulettes de faïence ou de pierres précieuses. Ensuite il accroche des colliers, des doigtiers, pendant que le prêtre lecteur récite des formules funéraires.

Toutefois, Penou se fait du souci pour la momie d'Hori. Ni Tétiki, ni lui ne pourront lui offrir des bijoux et la momie sera bien triste dans son vêtement tout blanc. Alors il prend l'initiative de peindre, sur les momies des pauvres, des dessins de toutes couleurs, représentant l'œil oudjat, le vautour, le cobra, le nœud d'Isis, et parfois des têtes de dieux et de déesses. Ces dessins ont beaucoup de succès et de nombreuses familles, peu fortunées, les demandent pour leurs défunts.

Didiphor refuse toujours obstinément d'entrer dans le village des embaumeurs. Tétiki a beau lui réexpliquer avec une infinie patience que la mort n'est pas une fin, il est aussi terrorisé par les cadavres que par les tombes. Il reste toute la journée sur le mur d'enceinte, à surveiller le désert. Dans sa sagesse de babouin, il ne se lasse pas de voir le soleil rosir les hautes falaises, puis recouvrir d'une lumière crue le relief déchiqueté des montagnes et les gros dos noirs des collines. Chaque soir, la nuit menace de recouvrir la terre d'un sommeil sans lendemain et, chaque matin, l'astre du jour triomphe encore une fois du serpent Apopi, reprend sa course et maintient l'équilibre du monde.

Un jour, Didiphor voit s'approcher les hommes d'Antef. N'écoutant que son amour, il surmonte son dégoût pour les cadavres et se précipite dans le village pour prévenir son maître. Il saute sur ses épaules en poussant des cris. Déjà on entend des coups violemment frappés à la porte, puis une voix qui déclare :

« Nous cherchons un pilleur de tombe. Un garçon

avec un nain. Méfiez-vous de lui. Il est malin. Il a pu abuser de vous par de fausses paroles. »

Le chancelier de dieu surgit dans l'atelier de Tétiki et lui fait signe de la tête de se cacher. Ne sachant où se dissimuler, le garçon, dans son affolement, se jette au milieu des cadavres dans le bain de natron. Le sel pique sa peau, l'odeur lui soulève le cœur. Il sent autour de lui les corps froids et durcis. Pour se donner du courage, il essaie de plaisanter :

« Je serai le premier homme à devenir cadavre sans être mort », se dit-il.

Les Hyksos entrent dans la pièce, l'explorant en tous sens. Alors Tétiki prend sa respiration et plonge sa tête dans l'eau nauséabonde. Le temps lui paraît éternel. Son cœur éclate dans sa poitrine. Il étouffe. Il ne peut rester plus longtemps sans respirer. Tant pis si les Hyksos le découvrent. Mieux vaut encore les étrangers que d'avaler du natron. Il sort la tête de l'eau et regarde autour de lui en reprenant de longues respirations. Les Hyksos ont quitté l'atelier. On les entend parler près de la porte d'entrée. Tétiki sort de son bain le plus vite possible et court se laver avec de l'eau que l'on apporte du Nil.

« Et Penou ? Où est Penou ? » demande-t-il aux taricheutes.

Personne ne l'a vu. Personne non plus ne l'a emmené. Sa disparition paraît inexplicable. Tout le personnel du village se met à sa recherche. On le découvre enfin, entouré de bandelettes, comme une bizarre momie dont les yeux verts s'agitent de tous côtés, riant de l'étonnement général.

Tandis que Tétiki et Penou travaillent pour assurer au ka d'Hori une paisible et heureuse deuxième vie, Kanefer poursuit son projet. De retour à Thèbes, il a dissimulé dans un sac les rares trésors qu'il a réussi à voler : le collier de perles d'or d'Osiris, le masque de Taa et l'œil oudjat. Dans le jardin de la maison de sa mère, où il demeure quand il vient dans la capitale, il prépare une cachette. Lorsque la nuit est tombée, il sort de la maison et se dirige vers un figuier du jardin. Sa mère, qui a le sommeil léger, s'inquiète des bruits qu'elle entend, sort de son lit et regarde sur le seuil de la porte.

« C'est toi, mon fils, que j'entends se lever la nuit ? demande-t-elle.

— C'est moi, répond Kanefer. Je suis sorti étudier les étoiles.

— La vieillesse est descendue sur moi. Mes yeux sont faibles et je ne vois plus bien, constate-t-elle avec une grande tristesse.

— Bientôt je travaillerai à Thèbes et resterai toujours auprès de toi », lui dit Kanefer en s'approchant d'elle.

Sa mère lui prend les mains avec un bon sourire et lui dit :

« Je me réjouis que le roi des dieux te préserve de la méchanceté du cœur. »

Puis elle retourne se coucher, tandis que Kanefer revient vers le figuier. Il creuse un trou dans lequel il cache le sac plein de bijoux, puis dissimule l'orifice avec des branchages recouverts de terre.

Kanefer médite un plan. Un plan qui lui permettra de devenir scribe du grand prêtre et de se débarrasser de Tétiki. Car, s'il est certain d'avoir tué Penou, la crainte emplit son cœur à l'idée que le fils du nomarque soit encore vivant. Tous ses projets s'écrouleront si Tétiki revient à Thèbes et le dénonce auprès de Pharaon. Le seul moyen d'éviter une telle catastrophe est de parler le premier.

Dès que la fête d'Amon est terminée, Kanefer se dirige vers le palais de Pharaon. Le palais, entouré de jardins magnifiques, est en brique crue, car les pierres servent seulement pour ce qui doit durer éternellement, c'est-à-dire les temples et les tombeaux. L'ensemble comprend un palais privé pour la famille et le harem de Pharaon, et un palais royal réservé aux audiences et au travail administratif. Dans l'enceinte du palais se trouvent aussi les maisons des fonctionnaires ainsi que les greniers et les magasins où est accumulé tout ce qui est nécessaire à la vie du pharaon et de ses serviteurs : nourriture, vêtements, meubles, objets de décoration, or et bijoux.

Dans la salle du conseil, Ahmosis entretient ses plus proches conseillers, le grand vizir, le grand prêtre du temple, le scribe royal et le lieutenant général de l'armée. L'ordre du jour concerne la reprise de la guerre. Pharaon prend la parole :

« Mon père Amon désire que nous engagions la bataille. Grande est sa colère à la pensée que Seth est adoré sur la terre d'Égypte. »

Les conseillers de Pharaon ne partagent pas son impatience guerrière et craignent une nouvelle défaite. Le lieutenant général est le premier à prendre la parole :

« Toi qui protèges l'Égypte, sache que les soldats ne sont pas assez préparés au combat et que nous avons déjà perdu beaucoup d'hommes. »

Le grand vizir intervient à son tour.

« Toi qui es Dieu sur terre, tu sais qu'Apopi est en train d'acheter tous les nomarques du Double Pays pour organiser l'encerclement de Thèbes.

— C'est une raison de plus pour attaquer dès maintenant. Vous êtes timorés et craintifs, dit Pharaon avec colère. C'est l'ordre de Dieu qu'on doit exécuter. »

Les conseillers opinent de la tête en signe d'assentiment. Ils savent que les réunions du conseil n'ont pas pour but de convaincre Pharaon de changer d'opinion.

« La langue est le glaive du roi, dit le grand prêtre. Sa parole est plus puissante qu'aucune arme. »

Ahmosis se radoucit :

« Écris, dit-il au scribe royal. Écris un message pour Apopi. »

La courtoisie veut en effet qu'on n'engage pas de bataille sans prévenir préalablement son adversaire. Le scribe prend un calame, sorte de roseau effilé, déroule son rouleau de papyrus et écrit les paroles du roi :

« Ahmosis, roi de Thèbes, véritable pharaon de Haute et de Basse-Égypte, t'envoie le message suivant : il conduira son armée à travers le Delta jusque sous les murs d'Avaris pour te chasser du Double Pays. C'est Amon, le dieu, qui nous envoie. »

Puis Pharaon s'adresse au lieutenant général de l'armée :

« Qu'on sorte les armes et qu'on les distribue ! »

Le scribe royal et le lieutenant général se prosternent sur le sol avant de sortir de la salle du conseil. Un autre scribe entre aussitôt, qui se prosterne à son tour et déclare d'une voix effrayée :

« Kanefer, le scribe du village de la nécropole, a un message urgent à te faire parvenir.

— Qu'il entre », dit Pharaon, dont le cœur est joyeux à l'idée d'engager la bataille.

Kanefer se prosterne à son tour. Il tient à la main un petit paquet recouvert de tissu blanc.

« Que l'Horus d'Or ne punisse pas ma bouche des paroles qu'elle va te dire.

— Parle », ordonne le grand vizir.

Kanefer se relève et déplie le linge blanc. À l'intérieur se trouve l'œil oudjat droit qu'il a volé sur la momie de Taa. Les yeux d'Ahmosis brillent comme des éclairs :

« Que tous les crimes de celui qui a pillé la tombe de mon père se retournent sur sa propre tête et que les dieux lui fassent dégorger ce qu'il a avalé comme un crocodile ! »

Kanefer, modeste et impassible, attend qu'on l'interroge.

« Raconte cette histoire au roi », dit le grand vizir.

Kanefer s'incline avant de faire le récit suivant :

« Alors que je me promenais dans le désert d'Occident pour surveiller la vallée des morts, mes yeux ont aperçu un jeune garçon qui tirait sur un traîneau le sarcophage de Pharaon. Il était accompagné d'un nain et d'un singe. À ma vue, ils se sont enfuis, renversant le sarcophage à terre. J'ai tendu mon arc et tué le nain. Mais le garçon m'a assommé avec son boomerang et je me suis évanoui. À mon réveil, je n'ai trouvé que cet œil oudjat abandonné parmi les pierres.

173

— C'est sûrement le fils du nomarque d'Éléphantine, dit le grand vizir.

— Comment le sais-tu ? demande Pharaon.

— On m'a rapporté que le premier jour de la fête d'Amon, son nain, ivre de vin, a parlé du pillage de la tombe de Taa. Tout le monde a cru à des propos d'ivrogne.

— Votre cœur a manqué de vigilance et votre esprit de clairvoyance », fait Pharaon, mécontent.

Puis, s'adressant à Kanefer, il ajoute :

« Je te donnerai un collier d'or pour ta fidélité.

— L'or ne m'intéresse pas », répond Kanefer.

Pharaon le regarde d'un air surpris. Mais le grand vizir a deviné les pensées du scribe. Il lui dit :

« Parle sans appréhension, Kanefer. Il n'y a plus de crainte pour celui qui voit la face de Pharaon. »

Kanefer s'incline et murmure d'une voix altérée par la peur d'échouer dans son projet :

« Que ton ka m'accorde la faveur de servir dans le temple d'Amon.

— Tu seras scribe du grand prêtre, déclare Ahmosis en souriant. Le service que tu viens de me rendre mérite cet honneur. »

Puis, se tournant vers le grand vizir :

« Que la police des côtes et du désert ramène ce pilleur. Qu'il soit jugé en Cour suprême pendant mon absence. »

Kanefer se prosterne devant Pharaon en disant :

« Puisse la crainte que tu inspires se répercuter par les plaines et les monts. »

Le lendemain, conformément aux ordres du pharaon, on organise la distribution des armes. Les soldats s'avancent en longues colonnes, les mains vides. Ils saluent le roi, puis se dirigent vers différents comptoirs. Chaque comptoir est spécialisé : l'un distribue les casques, l'autre les lances, le troisième les arcs et les carquois, le quatrième les boucliers, le cinquième les glaives, le sixième les haches. Chaque soldat donne son nom qu'un scribe écrit sur un registre, ainsi que l'arme qui lui est attribuée. Plus loin, les chars récemment construits pour vaincre les envahisseurs attendent leurs riches propriétaires.

Bientôt Thèbes résonne du bruit des tambourins qui emmènent l'armée en campagne.

10

La prison

Après soixante-dix jours, les différentes étapes de l'embaumement étant accomplies, le corps d'Hori est prêt pour les funérailles. Tétiki et Penou quittent le village des embaumeurs. Ils emmènent la momie de leur ami dans un sarcophage de bois peint dont le chancelier de dieu leur a fait cadeau pour les remercier de leur travail.

Ils se dirigent vers la falaise au pied de laquelle ils commencent à creuser un trou. Quand le trou est suffisamment large et profond, ils sortent la momie du sarcophage et la mettent debout, la tête vers le sud. Alors Tétiki lui ouvre la bouche avec une herminette en disant :

« Que ton ka qui s'est enfui au moment du trépas revienne habiter ton corps. Hori, tu revis, tu revis pour toujours. Te voici de nouveau jeune à jamais ! »

Penou dégrafe sa croix ansée et accroche l'amulette autour du cou de son ami. Puis ils recouchent la momie dans le sarcophage qu'ils font glisser au fond du trou. Enfin ils le recouvrent de terre. Alors Tétiki prend un poinçon pour graver sur la falaise : « Ci-gît Hori. Que son nom lui soit rendu dans le grand temple de l'au-delà. »

Ils rient de bonheur en retrouvant le Nil. Didiphor trempe sa patte dans l'eau et se lave le visage.

« Que dirais-tu d'une petite baignade ? » fait Penou qui, sans attendre de réponse, plonge déjà dans le fleuve et se laisse dériver par le courant.

Tétiki contemple, sur l'autre rive du Nil, la Thèbes des vivants. Là se trouve Pharaon. Son cœur éclate de joie et de fierté à l'idée de lui annoncer la réussite de son entreprise lorsqu'une voix surgit derrière lui :

« C'est lui ! Attrapez-le ! Méfiez-vous de son boomerang ! »

Et avant que Tétiki ait le temps de faire le moindre geste, trois hommes se sont emparés de lui et l'entraînent dans une barque.

« Que se passe-t-il ? demande le garçon.

— Tu es bien le fils du nomarque d'Éléphantine ?

— Oui, répond Tétiki.

— Alors ton compte est bon, conclut un garde.

— Je ne comprends pas, dit Tétiki, abasourdi.

— Tu comprendras mieux quand tu seras empalé. Cela rend la mémoire, paraît-il. »

Tétiki cherche à se défendre :

« C'est une erreur. Je demanderai audience à Pharaon.

— Pharaon ! Par Thot ! C'est lui qui nous envoie ! » s'exclame un garde en éclatant de rire.

Tétiki est sidéré. Pourquoi Pharaon le fait-il arrêter ? Il tourne et retourne dans sa tête les hypothèses les plus invraisemblables pour expliquer un malentendu qui lui reste incompréhensible. Les hommes se moquent de lui :

« Alors, ton boomerang ! Il ne te sert plus à rien !

— C'est bizarre, je n'ai pas mal à la nuque !

— Raconte-nous les trésors de la tombe de Taa !

— Et ton nain ? Il sent toujours le vin ?

— Laissez-le tranquille, ordonne un garde qui paraît être le chef. Son nain a été tué. »

Puis il s'adresse à Tétiki :

« Ne les écoute pas ! Cela fait longtemps qu'ils te recherchent sur ce rivage. Et la rive des morts rend nerveux.

— Où m'emmènes-tu ? demande le garçon.

— À la prison, sur ordre de Pharaon. »

La maison d'arrêt est une forteresse de brique, haute de cinq à six mètres, située non loin du palais royal. Elle sert essentiellement de prison préventive avant les procès, car une fois jugés et condamnés les prisonniers sont envoyés aux travaux forcés. La cellule de Tétiki donne à l'ouest. En se hissant jusqu'à la petite fenêtre il peut contempler toute la ville.

C'est la décrue du Nil. Le fleuve revient lentement à son débit normal, dégageant les champs recouverts de limon. On y déploie une intense activité. Les scribes du cadastre dirigent les arpenteurs qui mesurent les champs, pour retrouver les lignes de propriété que la crue du fleuve a effacées.

Les fellahs sèment le blé et l'orge. Quand le limon est suffisamment tendre ils se contentent de jeter directement les graines sur le sol. Puis ils font courir sur le champ un troupeau de moutons pour enfoncer les graines dans la terre. Quand le limon est plus résistant, les fellahs, avant de semer, labourent d'abord avec une charrue rudimentaire tirée par deux vaches.

Dans les innombrables jardins de Thèbes, les jardiniers creusent des rigoles d'irrigation qui découpent les potagers en carrés minuscules. Puis ils remplissent ces rigoles en vidant de grandes jarres d'eau qu'ils viennent remplir dans un bassin. Certains utilisent une invention récente, le chadouf, qui per-

met d'amener l'eau en accrochant un récipient au bout d'une perche que l'on fait basculer sur un gros poteau vertical.

Un matin, à l'aurore, deux gardes viennent chercher Tétiki pour l'emmener à la cour de justice.

Le pillage des tombes, crime d'une exceptionnelle gravité, exige un tribunal extraordinaire. Il se réunit dans la Demeure vénérable, à droite de la résidence royale. Le grand vizir, en l'absence de Pharaon, en est le juge suprême. Il est assisté par le grand prêtre d'Amon et d'autres hauts fonctionnaires. Le secrétaire des paroles secrètes de la Demeure vénérable surveille la bonne marche du procès, tandis que le chef des scribes de la Cour de justice en assure le compte rendu.

Le grand vizir ouvre l'audience en disant :

« Une commission comprenant le scribe du grand vizir, le scribe du trésor du pharaon, et le scribe de la nécropole a été envoyée sur la tombe de Taa. Elle a examiné la tombe et conclu qu'elle a été pillée. »

Puis il regarde Tétiki avec sévérité :

« Tu es accusé de la charge principale de pilleur de tombe. Maintenant, prête serment conformément à la règle de justice. »

Tétiki dit :

« Si je ne dis pas la vérité, que je sois mutilé et envoyé en Éthiopie. »

Puis il ajoute :

« Qu'on amène ici l'homme qui m'accuse. »

Le secrétaire des paroles secrètes fait entrer le premier témoin. C'est un soldat de la garde du palais. Il prête serment à son tour :

« Si je mens, que je sois mutilé et envoyé en Éthiopie. »

Puis il raconte l'événement qui a eu lieu en sa présence :

« Le premier jour de la fête d'Amon, un nain venu du désert, ayant bu beaucoup de vin, a affirmé que les Hyksos et Tétiki allaient piller la tombe de Taa. Il répétait sans cesse : "La source est abondante et fraîche."

— A-t-il dit que Tétiki était complice des Hyksos ? demande le grand vizir.

— Oui. Le nain était très ivre et ses paroles étaient confuses. Mais il a dit nettement : "Tétiki est un ami."

— As-tu quelque chose à ajouter ?

— J'ai dit tout ce que j'avais à dire. »

On fait entrer le deuxième soldat qui répète ce qu'a dit le premier.

« Faites entrer le scribe du grand prêtre d'Amon », demande le vizir.

Tétiki se retourne vers la porte et voit, avec stupeur, s'avancer Kanefer. Subitement, tout devient clair dans son esprit. C'est le scribe qui l'a dénoncé à Ahmosis. Il l'a accusé le premier pour l'empêcher de parler. Mais qu'a-t-il donc expliqué à Pharaon ? Et malgré l'inquiétude qui lui serre le cœur ce n'est pas sans curiosité qu'il écoute Kanefer.

Celui-ci prête serment.

« Si je mens, que je sois mutilé et envoyé en Éthiopie. »

Et il répète, mot à mot, ce qu'il a raconté à Pharaon.

En d'autres circonstances, Tétiki aurait souri de tant d'audace dans la perfidie, mais aujourd'hui cette audace et ces mensonges mettent sa vie en danger.

« Qu'as-tu à dire pour ta défense ? » demande le grand vizir.

Tétiki prend la parole :

« Le commissaire royal des Hyksos et le préposé aux soldats, Antef, sont venus à Éléphantine proposer à mon père de l'or pour lever une armée contre Pharaon. C'était le premier jour du premier mois de l'inondation. Cet or, ils voulaient le prendre dans la tombe de Taa. Alors, pour sauver mon père et pour sauver l'Égypte, je suis venu à Thèbes. Je voulais prévenir Pharaon ou parler à un prêtre du temple. Mais je suis arrivé pendant la fête d'Amon. Après beaucoup d'hésitations, j'ai donc décidé d'aller moi-même à la recherche de la tombe pour cacher les trésors afin de les rendre ensuite au roi. »

Le grand vizir paraît incrédule.

« As-tu des témoins pour confirmer tes paroles ?

Tu avais certainement des complices. Dis-moi leur nom.

— Imhotep, le vieux médecin.

— On l'a retrouvé mort dans son jardin », dit le grand prêtre.

Cette révélation frappe durement le garçon. Non seulement il ne reverra plus le vieillard au sourire si bienveillant, mais il vient de perdre son seul appui. Il continue cependant sa défense :

« Il y avait aussi Peikaru, un orfèvre du delta.

— Où peut-on le trouver ? demande le vizir.

— Il est tombé dans le puits de la tombe. »

Un sourire passe sur le visage du grand vizir qui demande avec une légère ironie :

« Qui donc encore ?

— Hori, le tailleur de pierre, mais il est mort aussi.

— Tu choisis des témoins bien silencieux, remarque le grand vizir avec lassitude car déjà la cause lui paraît jugée.

— J'avais un autre complice encore », ajoute le garçon.

Puis il se tourne vers le scribe et le montre du doigt : « Kanefer, celui qui m'accuse. »

Les hauts fonctionnaires s'agitent dans leur fauteuil de bois sculpté. Le grand vizir, agacé par l'impudence de l'inculpé, s'écrie avec colère :

« Qui peut donner foi à ta parole ? Parmi tes complices tu nommes trois hommes dont le ka est dans le royaume des morts et le scribe du grand prêtre. Il est habile d'attaquer celui qui vous attaque. Mais tes insinuations insultent un serviteur d'Amon. »

Tétiki se sent perdu. Il ne peut pas lutter tout seul contre le vizir et le temple d'Amon. Les visages des juges sont hostiles et mécontents. Seul le grand prêtre paraît encore s'intéresser à lui.

« Peux-tu nous dire où est caché le trésor ? demande-t-il. Ta peine en sera atténuée.

— Je ne dirai rien ici, répond Tétiki d'un air buté, car il se méfie de Kanefer. Mais je peux vous mener à la cachette.

— L'orgueil fait parler ta bouche, constate le vizir avec reproche. Tu mets en doute la loyauté des serviteurs de la justice.

— Ce n'est pas l'orgueil, c'est la prudence qui me fait parler ainsi. Les paroles vont vite à Thèbes et risquent de tomber dans des cœurs plus perfides que fidèles. Je ne montrerai la cachette qu'en présence du grand vizir. »

Adouci par cette dernière phrase, le grand vizir se tourne vers les hauts fonctionnaires et délibère avec eux à voix basse. Kanefer, qui ne peut entendre leurs propos, craint que la situation ne tourne pas en sa faveur. Aussi demande-t-il la parole.

« La langue de Tétiki est habile. Il est malin de prétendre qu'on vole une tombe pour la sauver des pilleurs, une fois qu'on a été découvert.

— Ta remarque est avisée, dit le vizir. Mais comment pourrions-nous savoir la vérité ?

— Me permets-tu, à moi qui suis si injustement accusé, de te proposer un plan ? demande modestement Kanefer.

— Parle, dit le vizir.

— Si le trésor de Taa est complet, nous pourrons croire à la bonne volonté du fils du nomarque d'Éléphantine. Mais s'il manque quelque chose, cela voudra dire qu'il a pillé la tombe pour son propre compte, et qu'il a commencé à écouler sa marchandise.

— Le plan est astucieux », dit le grand vizir.

Et, se tournant vers Tétiki, il ajoute :

« Dans trois jours, nous traverserons le Nil et irons sur la rive de l'éternité. Si le trésor est intact, nous donnerons foi à tes paroles et tu feras des excuses à Kanefer pour l'avoir faussement accusé. Sinon, tu recevras le châtiment des pilleurs de sarcophages : tu seras empalé. »

Et le grand vizir lève la séance et sort, suivi des autres magistrats. Deux policiers ramènent Tétiki en prison. Il se sent écrasé par la conclusion du procès. Comment expliquer la disparition du masque de Taa, de l'œil oudjat, d'autres bijoux peut-être ? Comment prouver sa bonne foi ?

Comment confondre Kanefer ? De toute évidence, seule la faveur d'Amon pourrait, dans ses mystérieux desseins, le faire sortir vivant de cette aventure.

Ce soir-là, Makaré traverse d'un pas rapide la maison de bière sans jeter un seul sourire à ses clients. Elle se rend dans son salon privé où Antef l'attend. Il est assis sur le divan, son éternel sourire crispé aux lèvres. La femme arpente nerveusement la pièce :

« Par Osiris, je me suis trompée sur ce garçon. Il a appris une chose chez les scribes d'Éléphantine.

— Qu'a-t-il appris qui ait impressionné ta jolie tête ?

— Le courage, répond Makaré.

— Le courage sans la ruse est comme un âne aveugle qui avancerait droit dans le Nil sans comprendre pourquoi il se noie.

— Tes énigmes, Antef, viennent mal à propos. Je reviens du palais. Dans trois jours Tétiki va montrer la cachette au grand vizir et nous perdrons définitivement le trésor.

— Trois jours suffisent pour se jeter dans la gueule d'un crocodile », suggère Antef doucement.

Makaré scrute le visage de son complice d'un air interrogateur :

« Tu songes à un crocodile qui lui ferait traverser le Nil ?

— Jusqu'à l'or de Taa », dit Antef.

Makaré réfléchit longuement avant de conclure :

« C'est impossible.

— Tes paroles m'étonnent, Makaré. Serais-tu devenue incapable de pénétrer dans une prison ?

— Entrer dans une prison est aussi facile que d'acheter un scribe. Mais comment décider l'enfant à me suivre ?

— Il y a longtemps que j'ai préparé mes filets. Tu n'auras qu'à ramasser le poisson qui s'est jeté dedans. »

Makaré a un rire heureux :

« J'aime que tu me surprennes », dit-elle.

Puis elle appelle un serviteur :

« Va dans la maison d'Imhotep chercher sa fille Nofret. Dis-lui de venir jouer de la harpe. Je veux que mes clients soient contents ce soir. »

Elle ajoute en se tournant vers Antef :

« Nofret n'a plus de travail depuis qu'Ahmosis est parti faire la guerre. Elle a quitté le palais et est retournée dans la maison de son père. C'est la meilleure harpiste de la ville.

— Tu pourras la garder à ton service, répond

Antef. Les nouvelles des armées sont mauvaises pour Ahmosis. »

Dès que le serviteur a quitté la pièce, Makaré vient s'asseoir sur le divan près de son complice :

« Parle maintenant. Mon cœur grille d'impatience. »

11

La ruse de Makaré

Makaré jette un dernier coup d'œil sur les clients de la maison de bière. Les hommes se laissent doucement bercer par la voix mélodieuse de Nofret qui s'accompagne d'une harpe faite d'un arc de bois sur lequel six cordes sont tendues. Nofret est une jeune fille de vingt ans, à l'air rêveur et doux, et aux longs cheveux noirs tombant dans le dos. Elle est vêtue d'une robe de lin blanche, attachée sous la poitrine et maintenue par deux larges bretelles. Elle se tient assise par terre, les jambes repliées, la harpe posée entre ses genoux. Elle chante la tristesse de la mort d'Imhotep :

« *La durée du séjour sur terre est l'espace d'un songe.*

À peine ont-ils respiré l'air du ciel que les hommes vont au tombeau.

Nul ne revient nous dire ce qu'ils sont devenus.

Nul ne revient apaiser nos cœurs. »

Satisfaite de son inspection, Makaré quitte la maison de bière et traverse la ville devenue étrangement silencieuse. Car les hommes se couchent tôt depuis que le travail a repris dans les champs et il n'y a plus de soldats pour traîner tard dans les rues. Elle sort par la porte du sud et s'approche d'une felouque amarrée sur le quai, sa voile repliée. Le marin, assis sur la proue, contemple les étoiles.

« Par Seth, dit Makaré.

— Par Seth, répond le marin brusquement arraché à sa rêverie.

— Le poisson est-il là ?

— Il a voyagé sans encombre.

— Sors-le sans qu'on le reconnaisse », ordonne Makaré.

Le marin descend dans la cabine et remonte avec un homme au visage masqué.

« Suis-moi », lui dit la femme.

L'homme l'accompagne à travers la ville jusqu'à la porte en chicane de la ruelle.

Lorsqu'ils arrivent dans le salon privé, Makaré lui dit :

« Tu peux enlever ton masque maintenant. »

L'homme soulève le masque, dévoilant le visage vieilli et méconnaissable de Ramose, le nomarque d'Éléphantine. Ses cheveux sont devenus gris et ses yeux expriment une pathétique tristesse.

« Peux-tu me dire où je suis et pourquoi tu m'as fait enlever ? demande-t-il à Makaré.

— Pour te donner des nouvelles de ton fils ! »

Un éclair de joie passe dans les yeux du nomarque.

« Tu sais où est mon fils ? demande-t-il la voix tremblante d'émotion.

— Ne te réjouis pas trop vite, Ramose. Ton fils s'est mis dans la gueule d'un crocodile.

— Parle plus clairement, supplie Ramose. Vois comme mon cœur est inquiet.

— Il est accusé d'avoir pillé la tombe du pharaon Taa. »

Ramose ferme ses paupières pour réfléchir aux propos ahurissants qu'il vient d'entendre. Puis il dit d'une voix ferme :

« Tes paroles ne sont pas croyables. Tétiki n'a jamais aimé l'or.

— Je pense comme toi, dit Makaré. Malheureusement ton fils a des ennemis bien cruels.

— Dis-moi ce que je peux faire pour l'aider », demande Ramose.

Makaré attend un instant avant de suggérer d'un ton négligent :

« Tu peux peut-être l'aider à s'évader de la prison.

— S'évader de la prison ? fait Ramose stupéfait.

Mais pourquoi ne pas faire confiance à la justice de Pharaon ?

— Pharaon est en campagne, dit Makaré sèchement. Et ses ennemis profitent de son absence. Il faut cacher ton fils jusqu'au retour d'Ahmosis. À ce moment-là seulement tu pourras faire confiance à la justice de Pharaon. »

Puis elle jette un bref regard perçant sur le nomarque pour apprécier l'effet de ses paroles, et laisse tomber d'une voix dramatique :

« Sinon il subira le supplice du pal.

— Mon fils n'est pas coupable, répète Ramose, complètement abasourdi par les révélations qu'il vient d'apprendre. Mon fils n'est pas coupable. »

Makaré a un geste d'impatience :

« Ne perds pas de temps en propos inutiles. On le croit coupable, c'est la seule chose qui compte. Veux-tu que je le sorte de prison, oui ou non ?

— Voir mon fils est le seul bonheur que j'attende encore, dit le nomarque.

— Alors, écris », dit Makaré avec autorité.

La précipitation de la femme jette le trouble dans l'esprit de Ramose qui la regarde avec méfiance :

« Pourquoi m'as-tu enlevé de force ? Pourquoi m'as-tu mis un masque pour traverser la ville ?

— On t'aurait reconnu. On t'aurait arrêté pour complicité avec ton fils. Tout le monde sait que les

Hyksos sont venus te proposer une alliance contre Thèbes. »

Ramose soupire et ferme à nouveau les paupières. Que de malheurs se sont abattus sur sa maison après la visite du commissaire royal !

« Dis-moi ce que je dois écrire ? demande-t-il, convaincu par les arguments de Makaré.

— Écris : "Suis la femme qui vient te chercher. Elle te mènera jusqu'à moi. Ton père. Ramose." »

Puis elle ajoute :

« Que peux-tu me donner qui lui permette de reconnaître que cette lettre est bien de toi ?

— La bague de turquoise que je porte toujours sur moi.

— Alors donne-la-moi. »

Le vieil homme détache difficilement la bague de son doigt noueux et la tend à Makaré qui s'en empare vivement. À ce moment-là Antef pousse doucement la porte et pénètre dans le salon. À sa vue, Ramose pâlit :

« Ô mon fils, murmure-t-il. Je viens de faire ton malheur.

— Que crois-tu ? fait Makaré avec insolence. Qu'on t'offre un beau voyage sur le Nil pour le plaisir de voir tes cheveux blancs !

— Rends-moi la lettre et la bague », supplie Ramose.

Makaré éclate de rire :

« Par Osiris ! Qu'est-ce qu'on leur apprend à Élé-phantine ! Un enfant à la naissance est plus méfiant que toi ! »

Et Makaré sort de la pièce.

Déguisée en vieille femme, ridée et trop fardée, une perruque de cheveux blancs sur la tête, un panier à la main, Makaré marche vite. Elle se dirige vers la for-teresse. Elle s'arrête devant la porte d'entrée fermée avec deux gros verrous de cuivre, pose son panier par terre et se met à crier :

« Non, non, tu ne prendras pas mon collier ! Voleur, voleur, je le dirai au vizir ! »

Et Makaré se donne de grands coups sur les bras pour simuler une violente bagarre.

« Par Osiris, attaquer une vieille femme comme moi ! »

Elle entend grincer un verrou et reprend de plus belle :

« Voleur, voleur, Pharaon te le reprendra. Tu n'as donc aucun respect de la vieillesse ? »

Le verrou grince encore une fois et dans l'entre-bâillement de la porte apparaît la tête d'un garde endormi.

Makaré l'apostrophe :

« Qu'est-ce que tu attends ? Dépêche-toi de le rattraper. Il vient de voler mon collier. »

Un autre garde, tout aussi endormi, s'approche de la porte.

« Qu'est-ce qui se passe ?

— Il y a un voleur qui vient de filer par là », répond le premier garde.

Le deuxième garde n'est guère plus intrépide que le premier.

« Il doit être loin maintenant, dit-il en regardant la rue déserte.

— Tu as raison, il vaut mieux rester ici, conclut le premier garde.

— Ce n'est pas avec des gardes comme vous que la capitale sera tranquille la nuit, fait Makaré indignée.

— Ne te mets pas en rage, vieille femme. Tout le monde a le droit de dormir, non ! »

Makaré fait semblant d'essuyer des larmes et s'approche d'eux en reniflant bruyamment. Elle leur demande d'un ton implorant :

« Je peux rester un moment avec vous ? J'ai eu si peur !

— Entre, puisque tes membres tremblent », dit un garde.

Makaré pénètre dans la prison. Les gardes referment soigneusement les deux verrous de cuivre.

« On peut dire que vous êtes bien gardés, dit-elle d'un ton admiratif.

— On a un prisonnier exceptionnel. »

Makaré fait l'hypocrite :

« Un chef hyksos ?

— Non. Un garçon de la province qui a joué avec l'or.

— Vivement que Pharaon revienne pour rétablir la justice ! » dit-elle avec malice. Puis elle ajoute :

« Je boirais bien un peu de vin car mon corps tremble encore. »

Et Makaré retire de son panier une amphore de vin bouchée avec un chapeau de plâtre.

« Je l'apportais à mon maître. Mais j'irai lui en chercher une autre. »

Un garde saisit l'amphore et lit à haute voix :

« Vin de qualité. Provenant du vignoble du temple d'Amon de Denderah, sous la direction du chef viticulteur Ipouy. Douzième année du roi Didoumes.

« Par Thot ! Ton maître ne se rince pas la bouche avec l'eau du Nil ! s'exclame-t-il.

— Vous pouvez ouvrir l'amphore et goûter le vin, dit Makaré. Vous avez été si bons pour moi. »

Les gardes ne se le font pas dire deux fois. Makaré prend une gorgée du bout des lèvres. Les gardes boivent abondamment. Quand ils lui paraissent suffisamment soûls, Makaré les interroge :

« Où se trouve ce prisonnier si important ?

« — Tétiki ! dit un garde, la bouche pâteuse. Au premier étage, la cellule de l'ouest qui donne sur le fleuve. »

Et les gardes se mettent à chanter des chansons de soldats puis s'endorment en ronflant.

Dès les premiers ronflements Makaré se dirige vers le premier étage. Elle ouvre la porte de Tétiki que le tapage a réveillé.

« Je viens te délivrer », dit-elle en prenant une voix aiguë pour que Tétiki ne reconnaisse pas son beau timbre chaleureux.

Le garçon est visiblement surpris d'une telle proposition :

« Je n'ai pas besoin d'être délivré. Je dois montrer la cachette au grand vizir dans deux jours.

— Pauvre enfant ! dit Makaré. Tu ignores ce qui se trame dans l'ombre. Celui qui t'accuse cherche à te confondre.

— Mais comment pourrait-il me confondre, s'il y a le vizir ? s'étonne Tétiki.

— Je n'ai pas le temps de t'expliquer, murmure Makaré. Le vizir pourrait disparaître. Fais-moi confiance.

— Pourquoi te ferais-je confiance ? »

La vieille femme secoue sa perruque blanche et s'exclame d'admiration :

« Ah ! Tétiki ! On m'a dit qu'il y a la force d'un dieu en toi, et je constate qu'on a raison. »

Makaré fouille dans son panier et en tire le papyrus écrit par Ramose. Elle le tend au garçon qui le déchiffre à voix basse :

« "Suis la femme qui vient te chercher. Elle t'amènera jusqu'à moi. Ton père. Ramose." Mon père est à Thèbes ? demande Tétiki avec émotion.

— Oui, il t'attend.

— Alors je viens tout de suite avec toi. »

Et il se dirige vers la porte. Sur le seuil, toutefois, il s'arrête, traversé par un dernier doute :

« Ce message est vraiment écrit par mon père ?

— Tu as en toi la prudence du serpent ! s'exclame à nouveau Makaré. Ton père a bien raison de t'aimer comme il t'aime. »

Et elle montre la bague de turquoise que le garçon reconnaît aussitôt. Il sourit à la vieille femme et tous deux quittent la prison, enjambant le corps des soldats endormis.

Tétiki ne reconnaît pas la maison de bière car il ignore l'entrée de la porte de la ruelle. Mais lorsqu'il découvre Antef dans le salon privé, il comprend aussitôt le piège dans lequel il vient naïvement de tomber.

« Je suis content de te voir, lui dit Antef.

— Où est mon père ? » demande le garçon d'une voix blanche.

Makaré enlève sa perruque et reprend sa voix habituelle :

« Tu es trop impatient. Les scribes ne t'ont pas appris qu'il fallait parler aux grandes personnes avec respect et soumission ?

— C'est un fils indigne, ajoute Antef. Il a abandonné son père.

— Où est mon père ? répète Tétiki.

— Je vais le chercher, dit Makaré. Tu verras ce qu'il est devenu par ta faute. »

Et elle se dirige au fond du jardin. Derrière un bosquet de tamaris sont dissimulées des caves désaffectées. Dans l'une de ces caves se tient Ramose, assis par terre, accablé.

« Lève-toi, nomarque d'Éléphantine. Ton fils t'attend. Il s'impatiente. Tu l'as bien mal élevé, ton fils. »

Ramose se relève avec peine et suit la patronne de la maison de bière à travers le jardin.

Le cœur de Tétiki se serre de douleur quand il voit entrer son père écrasé par le chagrin. Il voudrait se précipiter dans ses bras, mais la présence d'Antef et de Makaré interdisent toute effusion. Ils restent donc debout, l'un en face de l'autre, sans bouger, leurs yeux se remplissant de larmes.

« J'ai écrit cette lettre sans savoir ce que je faisais », finit par dire Ramose.

Puis, après un silence, il demande :

« Mon fils est-il un pilleur de sarcophage ?

— Non, mon père. J'ai voulu protéger la momie de Taa du pillage des Hyksos. C'est avec cet or qu'ils projetaient de payer ton armée.

— Tes paroles sont douces à mes oreilles. Je retrouve le bonheur d'être père de mon fils. »

Le silence retombe dans la pièce. Puis Ramose parle à nouveau :

« J'ai une question à te poser : as-tu cru que j'étais avec les Hyksos, que je collaborais avec eux contre Thèbes ? Cette pensée a torturé mes nuits depuis ton départ.

— Non. Penou m'a expliqué que tu cherchais à gagner du temps en attendant la victoire d'Ahmosis.

— Je peux mourir heureux maintenant », dit Ramose.

Makaré soupire d'agacement :

« Tu ne m'avais pas dit, Antef, que tu organisais une attendrissante réunion de famille ! Emmène-les ou les chauves-souris vont envahir ma tête. On discutera avec Tétiki plus tard. Il a davantage de bon sens et il est moins pleurnichard que le nomarque. »

Le lendemain, le premier jour du deuxième mois de la moisson, tout Thèbes jase sur l'extraordinaire évasion de la veille. Sur le port, dans les couloirs du palais, et même dans les magasins du temple, les langues vont bon train : la police ne fait plus son travail et ne protège plus les habitants contre les malfaiteurs ; les Hyksos ont acheté des hauts fonctionnaires et préparent un coup de main sur la capitale, profitant de l'absence du pharaon. D'autres admirent, en artistes, l'habileté du stratagème : qui est la vieille femme ? Comment a-t-elle connu Tétiki ? Où se sont-ils cachés ?

Un écrivain en renom se met à écrire l'histoire d'une évasion célèbre et un peintre en vogue décore le vestibule de sa maison en représentant Tétiki dans la gueule béante du monstre dévoreur des morts.

Le grand vizir est fort mécontent. Il regrette de n'avoir pas mis immédiatement à mort le pilleur de sarcophage, maintenant que tout espoir a disparu de retrouver la momie de Taa. Sa confiance pour Kanefer s'en trouve renforcée : le scribe a tout de suite compris la profonde perfidie de l'inculpé.

Kanefer apprend la nouvelle alors qu'il surveille le trésor du temple. Le trésor du dieu comprend tous les magasins où s'entassent les dons des Égyptiens et les dons du pharaon : or, argent, cuivre, étoffes, encens, miel, vin, blé, légumes, oiseaux, mais aussi des outils, des meubles, des nattes, et même des barques pour naviguer sur le Nil. Tous les jours, des scribes inscrivent les offrandes qu'on apporte aux prêtres. Tous les jours ils inscrivent tout ce qui sort des magasins pour faire vivre le personnel du dieu.

Kanefer se fait raconter plusieurs fois l'épisode de l'évasion et se dépêche d'aller l'annoncer au grand prêtre.

Rasé, tondu, épilé, le grand prêtre fait la toilette d'Amon. Dans le petit sanctuaire rectangulaire caché au fond du temple il vient de sortir la statue du dieu de son tabernacle de granit. Maintenant il la déshabille avant de lui remettre des habits neufs. Puis il lui lave le visage et lui farde les yeux. Il répand de l'encens sur son corps en répétant les prières rituelles. Enfin il s'occupe de le nourrir : sur la table d'offrande, il dépose des fruits, un canard et du vin.

En sortant du sanctuaire il rencontre Kanefer.

« Tétiki s'est évadé, dit le scribe en s'efforçant d'éteindre la lueur d'allégresse qui brille dans ses yeux. Il s'est évadé avec la complicité d'une vieille femme qui a enivré les soldats. »

À la grande déception de Kanefer, le grand prêtre paraît peu intéressé par la nouvelle. Il se contente de remarquer :

« Le vin fait beaucoup de ravages dans Thèbes. Il égare les esprits et les hommes deviennent comme un gouvernail brisé qui ne sert plus à rien.

— Je t'ai prévenu que ce pilleur mentait, dit Kanefer qui apprécie peu les digressions de son interlocuteur.

— Les paroles vraies et fausses ont la même sonorité, répond le grand prêtre. Et nulle oreille ne peut les distinguer.

— Mais les actions ne trompent pas ! fait Kanefer avec un emportement inhabituel. Seul un coupable peut avoir intérêt à s'évader.

— Dieu finit par accorder la vérité à celui qui l'attend. »

Kanefer est déconcerté. Il devine chez le prêtre une réticence à son égard qu'il ne peut expliquer. Il s'indigne :

« Je pourrais croire que tu mets en doute les paroles d'un scribe !

— Les scribes sont des hommes comme les autres. Ils boivent du vin, dansent avec les filles et aiment l'or. »

Kanefer se sent mal à l'aise. Il se fait insinuant :

« Il t'importe bien peu que le désordre règne dans Thèbes et que l'on murmure contre la justice de Pharaon. »

Le grand prêtre dévisage longuement le scribe avant de constater paisiblement :

« Un cœur en paix est moins agité que le tien, Kanefer. »

Puis, subitement indifférent à sa présence, il se dirige vers la cour hypostyle, dont le plafond est soutenu par de larges colonnes rondes, laissant le scribe furieux et inquiet.

12

Penou se met au travail

C'est dans la demeure d'Imhotep que Penou est venu se réfugier après l'arrestation de Tétiki. Le vieillard n'était plus là. Mais sa fille, la douce Nofret, a accueilli avec joie un ami de son père. Il lui a raconté ses aventures et Nofret lui a proposé de rester auprès d'elle pour lui tenir compagnie dans sa solitude.

Penou s'est efforcé de chasser le chagrin de Nofret. Il a rangé les plantes, les bols et les étranges mixtures du vieux médecin. Puis, ayant pris goût à la peinture dans l'atelier de décoration des embaumeurs, il a dessiné sur les murs de la pièce une oasis, un soleil et le corps de Nout rempli d'étoiles. Nofret et lui font ensemble de la musique.

La jeune fille joue habituellement de la harpe dans le palais de Pharaon. Mais en l'absence d'Ahmosis elle a accepté de chanter chez Makaré. Elle n'aime pas l'atmosphère de la maison de bière, mais il lui faut payer les embaumeurs pour l'enterrement de son père.

Penou et Nofret commentent, eux aussi, la surprenante évasion. Le nain est au comble de l'énervement.

« Tétiki n'a aucune raison de s'évader, répète-t-il sans fin.

— Il a sans doute des raisons que tu ne connais pas, dit doucement Nofret, qui cherche à apaiser son ami.

— Je connais Tétiki par cœur. Il est logique. Tout le temps logique. S'évader, c'est s'avouer coupable. Et il n'est pas coupable. Personne ne le sait mieux que moi. »

Tous deux cherchent à nouveau une explication à l'inexplicable. Soudain Nofret suggère de sa voix douce :

« S'il ne s'est pas évadé, c'est que quelqu'un l'a enlevé. »

Penou fait une pirouette pour montrer sa satisfaction devant cette nouvelle hypothèse.

« C'est cela. On l'a enlevé. Mais qui l'a enlevé ?

— Quelqu'un qui a intérêt à le faire.

— Kanefer, dit aussitôt Penou, tant son ressentiment contre le scribe reste fort.

— Pourquoi Kanefer ? demande la jeune fille.

— Cela lui permet de prouver que Tétiki est coupable puisqu'il s'est évadé.

— Et que va-t-il faire de Tétiki ? demande Nofret.

— Je ne sais pas, fait Penou déconcerté. Je ne sais pas.

— C'est peut-être Antef, propose Nofret.

— Ou bien Makaré ? propose Penou.

— Ils doivent être complices, s'ils sont tous les deux des espions hyksos, remarque Nofret.

— Alors il faut surveiller tout le monde : Kanefer, Makaré, Antef si on le découvre », conclut Penou.

Il arrive souvent qu'on imite le trait de caractère d'un ami lorsqu'il a disparu. C'est ainsi que Penou se met à raisonner avec la précision de Tétiki.

« Voilà mon plan, dit-il. Moi, je ne peux me montrer dans Thèbes car je serais immédiatement arrêté. Mais toi, puisque tu chantes chez Makaré, tu surveilleras tout ce qui s'y passe. Quant à Kanefer, Didiphor s'en chargera. Je vais lui parler. »

Et Penou explique au babouin qu'il doit trouver la maison du scribe et la surveiller nuit et jour.

Le singe, malgré sa légendaire sagesse, souffre d'un orgueil exacerbé. Cet orgueil lui fait croire que parmi les innombrables babouins qui circulent dans la capitale, il sera aussitôt reconnu comme le singe de Tétiki. Il décide donc de commencer son enquête à la tombée du jour, à l'heure où tous les singes se ressemblent.

Ce soir-là Kanefer arpente sa chambre, tourmenté par la remarque du grand prêtre : « Un cœur en paix est moins agité que le tien. » Le grand prêtre se méfie-t-il de lui ? Soupçonne-t-il quelque chose ? Le scribe passe une mauvaise nuit. Il fait un rêve néfaste : des hippopotames viennent par centaines s'installer dans le fleuve autour de Thèbes. Leurs corps, serrés les uns contre les autres, font un grand pont de dos gris d'une rive à l'autre, et les bateaux ne peuvent plus circuler. Quand la lune se lève, les hippopotames poussent des cris terribles qui empêchent les Thébains de dormir. La panique s'installe dans la ville. Alors le grand vizir demande audience à Pharaon et lui dit :

« Le bruit que font les hippopotames remplit les oreilles des gens de la ville qui ne peuvent plus dormir. Tu dois consulter un oracle. »

Pharaon se rend chez l'oracle pour lui demander :

« Pourquoi les hippopotames remplissent-ils les oreilles des gens de la ville qui ne peuvent plus dormir ? »

Alors l'oracle répond :

« Tant que les bijoux du sarcophage reposeront dans le sol de Thèbes, le ka de Taa livrera la ville à sa colère. »

Kanefer se réveille en sursaut. Il est en sueur. Il va à la fenêtre pour respirer l'air frais. Petit à petit son cœur se calme. Un rêve n'est qu'un rêve et personne n'osera mettre en doute sa parole de scribe contre celle d'un pilleur qui s'évade de prison. Il se recouche. Mais à peine est-il endormi qu'il voit les hippopotames revenir dans Thèbes avec des cris à réveiller des momies.

Pour chasser son cauchemar et retrouver la paix, Kanefer décide de déterrer les bijoux pour les vendre à Makaré, l'usurière. On connaît sa discrétion. Elle ne pose jamais aucune question sur la provenance des objets qu'elle achète car tout or est bon à prendre. Au milieu de la nuit le scribe traverse la maison à pas feutrés lorsqu'il entend la voix de sa mère :

« Où vas-tu ? demande-t-elle avec inquiétude.

— Je vais étudier les étoiles pour le grand prêtre.

— Ton travail embaume le cœur de ta mère dans sa vieillesse. »

Et elle sourit en se rendormant.

Kanefer gratte fébrilement la terre sous le figuier. Il est pressé de se débarrasser de ces joyaux volés qui risquent de lui porter malheur. D'ailleurs, il n'a plus besoin de cet or puisqu'il appartient désormais au temple d'Amon.

Toutefois, après avoir déterré le sac de lin, il ne peut s'empêcher d'admirer encore une fois les bijoux de la tombe. Et il sort du sac l'œil oudjat gauche de la momie, le collier d'Osiris et le masque d'or de Taa qui étincelle sous un rayon de lune. Le scribe entend alors un léger toussotement. Il dissimule précipitamment les bijoux sous son pagne et jette un regard inquiet autour de lui. Au-dessus du mur du jardin, à travers les feuilles du figuier, il aperçoit deux yeux verts, grands comme ceux d'un chat géant, qui le dévisagent avec fixité. Les yeux se déplacent lentement derrière l'arbre et Kanefer pousse un cri :

« Penou ! »

Car c'est bien Penou, que Didiphor vient d'aller chercher.

Le singe avait guetté le scribe à la sortie du temple de Karnak et l'avait suivi, à bonne distance pour ne pas se faire reconnaître, jusqu'à sa maison. Quand il l'a vu arpenter sa chambre avec fébrilité, il a pressenti une action décisive et s'est dépêché d'aller prévenir le nain.

Maintenant Penou se dresse sur le mur, enroulé dans un grand voile blanc. Kanefer croit voir un revenant.

« Tu es le ka de Penou ? murmure-t-il en tremblant.

— Je suis son ka qui demande vengeance, répond le nain d'une voix d'outre-tombe.

— Que veux-tu ? demande le scribe.

— Je veux que tu remettes le masque dans son sac, le sac dans le trou, que tu fermes le couvercle et le recouvre de terre. »

Kanefer s'exécute en tremblant.

« Veux-tu autre chose encore ?

— Autre chose encore, répète Penou. Je veux que tu gardes les bijoux sous ce figuier.

— Et tu laisseras mon âme en repos ? interroge le scribe d'une voix brisée.

— Je laisserai ton âme en repos. Mais je reviendrai chaque nuit m'assurer de ton obéissance. »

Et, enchanté par son nouveau rôle, Penou disparaît dans l'ombre. Didiphor s'installe sur une branche du figuier pour monter la garde et surveiller le scribe.

Pendant que Penou joue au revenant, Nofret est arrivée à la maison de bière. Il y règne une intense agitation. Les discussions sont tellement animées qu'on ne lui demande pas de jouer de la musique. Chacun se dispute la parole :

« Je vous dis que le roi de Nubie s'est allié avec les Hyksos. Et que les soldats nubiens sont arrivés par le sud et ont écrasé l'armée d'Ahmosis dans le Delta. Comme ça. »

Et, d'un large revers de main, l'homme renverse une armée imaginaire.

« C'est un sourd qui t'a raconté cela ! À moins que tu ne sois sourd toi-même ! C'est Ahmosis qui a écrasé les étrangers. Comme ça. »

Et le deuxième homme mime le geste de son interlocuteur. Un troisième client intervient à son tour :

« Mais oui, il a raison. Ce sont les Hyksos qui se sont enfuis comme des anguilles. Ils ont tous couru vers la mer. Mais les bateaux étaient surchargés. Alors à grands coups de bâton, on a rejeté les hommes et les femmes dans l'eau. »

Un quatrième homme prend la parole :

« On dit qu'il y a tant de trésors à Avaris que le temple d'Amon ne pourra pas les contenir. »

Un vieil homme hausse les épaules et marmonne :

« S'il faut croire tout ce que raconte la rumeur du Nil, bientôt les oies mangeront les crocodiles. »

Mais le premier homme, obstiné, répète :

« Je vous dis que le roi de Nubie s'est allié avec les Hyksos, et que son armée a écrasé celle d'Ahmosis. »

Alors deux clients se lèvent, menaçants, et rapidement la dispute dégénère en bagarre. Nofret en profite pour s'éclipser discrètement.

L'oreille attentive aux moindres bruits, la jeune fille suit le mur d'enceinte du jardin. Elle passe derrière les cuisines, puis derrière les magasins, traverse le jardin potager et arrive devant un bosquet de tamaris.

Les arbustes touchent la clôture et l'empêchent d'avancer. Elle hésite à sortir de l'ombre pour contourner le massif, lorsqu'elle entend le pas d'un homme qui boite. Nofret se blottit contre le mur et écoute. L'homme qui boite s'approche du massif aux fleurs roses, tire un verrou, ouvre une porte et ordonne :

« Viens avec moi. J'ai à te parler. »

Une voix masculine, très jeune, l'interroge :

« Comment va mon père ?

— Cela dépendra de toi, répond l'homme. Il suffit, pour qu'il vive, que tu nous conduises là-bas.

— Oh ! non ! » murmure la voix du garçon.

Enfin les pas s'éloignent vers la maison. Nofret se relève lentement, tout étourdie par sa découverte. L'homme qui boite est certainement Antef. Il est bien complice de Makaré. Et le garçon est certainement Tétiki qui est leur prisonnier. On lui fait un odieux chantage au sujet de son père. Comment pourrait-elle lui parler ? Comment lui faire savoir que Penou est à Thèbes et qu'il connaît sa situation ? Mais que lui conseiller de faire ? Est-il vrai que Pharaon doit revenir vainqueur ? Pour en savoir davantage elle regagne la salle publique de la maison de bière où le vacarme a cessé.

Dans le salon privé Antef explique à nouveau le plan qu'il a élaboré avec Makaré :

« Tu nous montres le trésor de Taa, sinon nous laissons ton père mourir de faim. »

Tétiki agite sa mèche nerveusement.

« Tu seras responsable de sa mort », insiste Makaré.

L'esprit de Tétiki s'affole devant la cruauté de ses ennemis. Pour la première fois de sa vie, il a des frissons dans le dos. « Je deviens comme Penou, se dit-il. Je dois me méfier de toutes leurs paroles. Peut-être ont-ils déjà tué Ramose. »

« Je veux voir mon père, dit-il. Je veux être certain qu'il est encore vivant. Sinon, je ne vous montrerai pas le sarcophage.

— Un centenaire est moins méfiant que lui », soupire Makaré.

Elle s'adresse à Antef :

« Puisqu'il le faut, montre-lui son père. »

Antef ouvre une porte et fait entrer Ramose.

« Le voilà », dit-il au garçon.

Tétiki murmure d'une voix étranglée :

« Par Amon, vous le laissez mourir. »

Ramose, en effet, est d'une pâleur alarmante. Ses mains tremblotent comme celles d'un vieillard et il tient difficilement debout.

« Laisse-le s'asseoir, dit le garçon.

— C'est ta faute. On t'a prévenu. Il restera sans

boisson et sans nourriture, tant que tu ne nous montreras pas le trésor de Taa », dit Antef.

Puis il s'adresse à Ramose :

« Assieds-toi et parle-lui. »

Ramose s'exprime difficilement, d'une voix à peine audible entrecoupée de silence.

« Je suis vieux... Je ne crains pas la mort... Maat saura peser le poids de mon cœur devant Osiris... Fais ce que tu crois juste...

— Je ne veux pas que tu meures, s'écrie Tétiki les larmes aux yeux.

— Fais ce que tu crois juste, répète Ramose.

— Tu vois, ton père est de notre avis, dit Makaré. Tu le fais souffrir inutilement.

— Je ne te laisserai pas mourir, s'exclame le garçon avec désespoir. Je te sauverai. Je te le promets. »

Makaré soupire de soulagement :

« Enfin ! Te voilà raisonnable ! »

Puis, s'adressant à Ramose :

« Tu vois, vieil homme, ton fils n'est pas aussi indigne que tu le penses ! »

Ramose pose sur son fils un long regard triste où se lit une immense fatigue. Puis il ferme ses paupières.

Makaré va se servir un bol de vin qu'elle vide d'un seul trait. Alors elle entend la voix de Ramose qui balbutie bizarrement :

« Corps de femme, cœur de cheval ! »

Makaré se retourne avec colère :

« Par Osiris, vous ne me faites pas rire ! »

Puis elle s'adresse à Tétiki :

« Tu es bien décidé à nous montrer la cachette ?

— Je me déciderai demain, répond Tétiki.

— La méfiance a envahi son cœur le jour de sa naissance ! » siffle Antef.

Recroquevillé dans la cave obscure, Tétiki est complètement abattu par la dernière ruse de ses geôliers. Faut-il laisser mourir son père ? Faut-il trahir Pharaon ? Son cœur, dans de brusques élans qui retombent aussitôt, bat pour l'un, puis pour l'autre, sans pouvoir se résoudre à faire un choix aussi injuste et aussi malheureux.

Épuisé de réfléchir à une alternative tellement insupportable, le garçon tombe dans une profonde léthargie. Ne pensant à rien, plongé dans une hébétude stupide, il laisse ses yeux errer sur les murs de la cave. Dans la pénombre, le relief inégal du limon séché dessine des formes. Tétiki s'applique à discerner, ici la silhouette d'un serpent, là d'une montagne, ici d'un pigeon, plus loin d'un soleil. Le temps s'écoule à ce jeu d'ombre.

C'est la silhouette d'un sycomore qui le tire brutalement de sa somnolence. Il rougit de confusion devant sa faiblesse et décide d'interroger son ka :

« Je viens à mon ka en toute confiance pour

que, dans le malheur extrême où je me trouve, il dirige mon esprit selon la justice de la déesse Maat. »

La nuit est désespérément silencieuse. Il entend des cris d'oiseaux et un chien qui aboie. Plus tard, des explosions de rires et des hurlements de joie sortent de la maison de bière. Mais il a beau tendre l'oreille, le garçon ne peut en comprendre la cause. Le tumulte a réveillé les canards qui se mettent à jacasser. Puis le silence retombe à nouveau. Longtemps après lui parvient la voix d'une jeune fille qui chante en s'accompagnant de la harpe. La voix se rapproche de la cave et Tétiki distingue nettement les paroles de la chanson. Elles disent :

« Je suis l'amie d'un nain aux yeux verts qui danse pour le soleil.

Je chante les prisonniers qui attendent le retour de Pharaon.

Long est le temps qui les retient aux mains des étrangers.

Lourd est leur cœur, inquiète est leur âme.

Je suis l'amie d'un nain aux yeux verts qui danse pour le soleil.

Je chante pour Pharaon qui revient victorieux de la bataille.

Il délivrera les prisonniers des mains des étrangers.

Léger est son cœur, joyeuse est son âme. »

Puis la voix s'éloigne dans le jardin. Tétiki pleure de bonheur. C'est un message de Penou. Il est vivant. Il est à Thèbes. Il a découvert sa prison. Il préviendra Pharaon qui revient victorieux. Tout devient simple subitement. Il sauvera son père. Il partira avec Antef sur la rive de l'éternité. Il gagnera du temps jusqu'à ce qu'Ahmosis vienne le délivrer.

Un pincement de cœur arrête le fil de ses euphoriques pensées : quand reviendra Pharaon ? S'il arrivait trop tard !

13

Retour à la tombe de Taa

À l'aube du deuxième jour du deuxième mois de la moisson, Tétiki informe Makaré de sa décision de leur montrer la cachette du trésor. Il exige, avant de partir, que l'on donne à boire et à manger à son père. Puis il s'embarque avec Antef et ses quatre complices vers la vallée des morts.

Le soleil vient de se lever quand ils atteignent la rive de l'éternité. Une tendre lumière pâle recouvre de douceur les austères montagnes d'Occident.

« Conduis-nous à la cachette », ordonne Antef.

Tétiki scrute le désert. Il en connaît par cœur le relief.

À droite, la falaise abrupte qui surplombe le temple de Mentouhotep, et loin derrière, sur la gauche, la cime triangulaire qui domine la vallée des rois. Près de la cime se trouve l'arête rocheuse, puis la combe et enfin le petit col dans les collines noires qui conduit à la grotte des singes. Mais Tétiki cherche à gagner du temps.

« Le désert est grand, dit-il. Je ne connais pas l'endroit où nous venons de débarquer. Je ne peux m'orienter d'ici.

— La mémoire de l'homme est sur son dos », rétorque Antef.

Et il s'adresse à ses complices :

« Donnez-lui cinquante coups de bâton. »

Les hommes appliquent la bastonnade sur le dos du garçon courbé sur le sol. Tétiki relève la tête et regarde Antef fixement.

« Si tu me bats à mort, tu ne retrouveras jamais le trésor. Conduis-moi d'abord à la tombe. De là je saurai retrouver le chemin.

— Que le serpent t'attaque sur la terre », marmonne Antef. Mais l'argument du garçon est plausible et le préposé aux soldats est bien obligé de s'y soumettre.

La longue marche recommence. Les hommes tirent des traîneaux pour rapporter les trésors. De temps en temps, Tétiki se retourne vers le fleuve pour voir si les barques de la police pharaonique viennent le délivrer. Mais le Nil est d'un calme absolu. Seule la tête d'un crocodile émerge de temps à autre pour attraper un poisson qui saute hors de l'eau.

Puis le Nil disparaît derrière les collines et le garçon se sent totalement abandonné. Ses yeux, après le séjour dans la cave, souffrent de l'éclat de la lumière. Le sang bat à ses tempes. Il lui semble, par moments, entendre les tambourins de l'armée d'Ahmosis.

« Vous n'entendez pas les tambours ? » demande-t-il.

Les hommes se mettent à rire. L'un s'approche de Tétiki et lui dit ironiquement :

« Mais oui, il y a les tambours. Il y a même toute l'armée d'Ahmosis. Tu ne la vois pas, là, sur les collines ? Regarde bien. »

Et d'un geste large il montre l'horizon désert. Le garçon lui jette un regard furieux et décide de rester muet.

Il marche de plus en plus lentement.

« Avance », lui dit un autre complice.

Et le bâton retombe sur son dos.

Les hommes hésitent sur le chemin à suivre. Antef interroge du regard Tétiki, dont le visage reste dur et fermé. Antef n'insiste pas. Les Hyksos se trompent de direction sans que Tétiki manifeste la moindre réaction.

« Pourvu qu'ils se trompent souvent ! » se dit-il.

Il leur a fallu quatre jours pour retrouver la tombe de Taa. Ils arrivent à la nuit. Des chauves-souris qui se sont installées dans le couloir d'entrée, sous le corps de Nout, s'envolent effrayées à leur approche.

Après le repas, Tétiki s'efforce de lutter contre le sommeil. Mais il tombe de fatigue et s'endort. C'est le froid qui le réveille. La lune a déjà parcouru la moitié de sa course. Un homme monte la garde, marchant de long en large en se frottant les bras pour se réchauffer. Les autres, couchés sur le sol, ronflent.

Tétiki fait semblant de dormir tandis qu'il médite un plan de sauvetage. Comment faire pour gagner du temps ? S'il avait un boomerang, il pourrait abattre le garde. Mais à quoi cela servirait-il ? À fuir ? Il n'irait pas loin, seul dans le désert. Les hommes d'Antef l'auraient vite rattrapé. Mais alors, que faire d'autre ?

Un projet extravagant lui traverse l'esprit, aussi rapide, aussi fugace que le bond d'une sauterelle. Il le rejette aussitôt. Mais le projet surgit à nouveau, plus précis, plus vraisemblable. Petit à petit, dans le danger suprême où il se trouve, le périlleux plan de

sauvetage s'impose comme la seule stratégie qui lui reste. Il n'en doute plus : le puits, oui, le puits, c'est la seule solution. Pourvu qu'il en ait la force !

Alors Tétiki prend une pierre et surveille du coin

de l'œil les allées et venues du garde, attendant qu'il lui tourne le dos. À ce moment-là, il lance son projectile. Le garde, frappé à la nuque, chancelle et Tétiki rampe vers le tombeau.

Le lendemain, le septième jour du deuxième mois de la moisson, toute la ville de Thèbes est en fête. L'armée triomphante défile le long du Nil dans un ordre parfait. Les piquiers ouvrent le cortège. En escouades de dix hommes, regroupées en sections, ils avancent au pas cadencé. Leurs lances sont fièrement dressées vers le ciel, tandis que leur main gauche tient verticalement un bouclier de cuir. Ils marchent, la tête et les pieds nus, portant sur leur pagne un tablier triangulaire en cuir pour se protéger le ventre.

Derrière eux s'avancent les joueurs de tambourin. Puis les prisonniers de marque, la corde au cou, les mains liées derrière le dos. Parmi eux, rouge d'humiliation, le commissaire royal. Enfin, précédé par des porte-parasols, le visage rayonnant de fierté, debout sur son char, s'avance Pharaon. Sur son front, la tête de cobra du « kepresh » bleu, le casque de la victoire, se dresse vers le soleil. La foule jette des fleurs sur son passage en criant :

« Pharaon, Vie, Santé, Force, est le dieu, roi des dieux. »

Derrière le pharaon défilent d'autres chars, puis les archers, tenant leurs flèches dans la main droite et leur arc levé dans la main gauche. Puis arrivent les ânes lourdement chargés du butin pris à l'ennemi. Enfin les prisonniers ordinaires terminent le cortège.

L'armée thébaine traverse la capitale, sous les cris et les acclamations, jusqu'au palais royal. Dans la cour du palais, on a disposé un trône sur lequel s'installe Pharaon, entouré des hauts fonctionnaires. Alors se déroulent les cérémonies d'usage.

On procède en premier lieu au compte des ennemis tués. Les chefs de section, un lourd sac de toile à la main, sont alignés les uns derrière les autres. Ils s'approchent de Pharaon. Successivement chacun s'incline, ouvre son sac, le renverse et jette aux pieds d'Ahmosis un tas de mains coupées. Ce sont uniquement des mains droites, prélevées, après la bataille, sur les ennemis morts. Un scribe compte les mains, une à une, devant le roi, en transmet le nombre exact à un autre scribe qui l'inscrit sur un rouleau de papyrus.

Ensuite, on répartit les prisonniers qui défilent en se prosternant devant Ahmosis. Les femmes sont données comme esclaves à ceux qui ont mérité la reconnaissance royale. Les hommes sont marqués du sceau de Pharaon. Certains, comme le commissaire royal, sont affectés dans les mines du désert. D'autres seront entraînés pour entrer dans l'armée. D'autres enfin serviront comme esclaves.

Quant au butin de guerre, il sera distribué, le lendemain, devant tout le peuple de la ville. La cérémonie aura lieu, avec le plus grand faste, devant le balcon des royales apparitions. Les Thébains se préparent à la fête. Penou, à sauver son ami.

Pendant qu'Ahmosis réjouit le cœur de son peuple en revenant triomphant, les hommes d'Antef cherchent désespérément Tétiki dans le désert. Tous craignent pour leur vie. Car la colère d'Antef a été terrible quand il s'est aperçu de la disparition du garçon. Un à un, les Hyksos reviennent vers leur chef, l'air penaud et embarrassé, pour avouer l'insuccès de leurs démarches.

« Prenez des torches et fouillez la tombe ! ordonne Antef. Par Seth, cet enfant ne sortira pas vivant du désert. »

Les torches dégagent une fumée noire qui abîme les peintures murales et rend l'air vite irrespirable.

« Je n'aime pas entrer dans une tombe. Cela me rend nerveux, grommelle un Hyksos.

— Toi aussi, tu crains la malédiction de Pharaon ? demande son complice d'une voix apeurée.

— Ne prononce pas ces mots-là », répond le premier Hyksos.

Dès qu'il entend la voix de ses ennemis, Tétiki relève la passerelle de bois qui recouvre le puits. C'est le moment de mettre son projet à exécution. Son cœur se met à battre fort dans sa poitrine.

« Qu'Amon me donne la force du lion », murmure-t-il.

Puis il se glisse dans le trou et referme la passerelle au-dessus de sa tête.

Le puits a un mètre de largeur. En écartant les bras et les jambes Tétiki s'arc-boute des pieds et des mains au rocher. La surface en est humide et glissante, mais fort heureusement irrégulière. Tétiki cale ses pieds sur des aspérités de la roche pour ne pas déraper. Il s'efforce de ne pas regarder le gouffre noir qui s'ouvre sous lui pour éviter le vertige.

Les Hyksos traversent la salle d'accueil de l'âme et s'approchent du couloir.

« C'est là qu'il y a le puits où Peikaru est tombé, constate l'un.

— On fera bien d'y jeter Tétiki quand on l'aura retrouvé, dit l'autre.

— Je vais voir s'il est profond », reprend le premier.

Et il commence à soulever la passerelle.

La panique envahit le cœur de Tétiki. Il ferme les yeux pour ne pas voir la catastrophe arriver.

« On n'a pas le temps de s'amuser, dit le deuxième Hyksos d'un ton exaspéré. Avance. »

Et le premier homme rabat la passerelle.

La peur rétrospective fait trembler le garçon. Une sueur d'effroi couvre tout son corps. Sa peau, devenue moite, adhère mal au rocher et ses pieds patinent sur les saillies de la paroi. En un éclair il voit son corps rouler au fond du puits jusqu'au cadavre de Peikaru.

« Qu'ils se dépêchent ! se répète-t-il. Mais qu'est-ce qu'ils font ? »

Les hommes d'Antef ne se dépêchent pas. Ils contemplent et commentent les peintures murales.

« C'est l'image d'Amon. On ne va pas la laisser comme cela. Il faut la mutiler », dit l'un.

Et dans un grand élan sacrilège il se met à frapper contre le mur pour détruire le visage, les pieds, les mains du dieu.

« Je vais effacer le nom du pharaon », dit l'autre, en frappant à son tour sur le cartouche de Taa.

Les coups portés contre le rocher font trembler la montagne et retentissent douloureusement dans la tête du garçon. C'est alors qu'il sent une matière froide, agitée de multiples et infimes mouvements, s'enrouler autour de sa jambe droite.

« C'est un serpent », se dit-il.

Tétiki retient sa respiration et se fait aussi immobile qu'une statue. Le serpent glisse le long de sa cuisse, puis monte sur sa hanche droite, atteint enfin sa poitrine. Tétiki se sent étranglé de terreur.

« Que le grand ka d'Amon me protège », supplie-t-il.

Le serpent cherche l'itinéraire le plus agréable. Sa tête effleure le cou, puis l'épaule, et enfin rampe le long du bras pour regagner le mur. Tétiki respire longuement en suivant des yeux le reptile qui se faufile sous la passerelle et disparaît.

Les hommes rebroussent chemin. Ils marchent à nouveau au-dessus de sa tête. Une lumière vacillante filtre à travers les morceaux de bois.

« Il y a un serpent, dit une voix.

— Écrase-le », lui conseille son complice.

Un coup de hache s'abat sur le reptile. Puis les bruits s'affaiblissent et le couloir retombe dans l'obscurité.

Le garçon est dans un équilibre tellement instable qu'il craint de faire le moindre mouvement. Son corps est comme paralysé par l'effort.

Tétiki tente de relever les pieux d'acacia au-dessus de sa tête. Mais ils sont très lourds et il n'a plus de force. Le moindre mouvement trop brutal risque de le précipiter dans le fond du trou. Il s'affole devant la résistance de la passerelle. Le froid glacé de la panique se répand sur son front et dans son corps. Il n'ose plus bouger. Enfin la terreur s'atténue. Tétiki essaie alors de pousser très doucement la passerelle dans le sens de la pente. Le sol est lisse et les pieux glissent sans trop de peine, dégageant progressivement l'orifice. Avec une infinie prudence le garçon soulève un pied, puis l'autre, puis la main gauche, puis à nouveau ses pieds, et dans un dernier effort il se détend brusquement. Ses jambes pendent encore dans le vide, mais sa poitrine est fermement allongée sur les dalles de granit du couloir.

Sauvé ! Il est sauvé ! Mais pour combien de temps ?

14

Le pharaon Ahmosis

Ce matin-là, Penou sort de la maison alors que les dernières étoiles brillent encore dans le ciel. Il n'a pas fermé l'œil de la nuit. Dans quelques heures Pharaon doit apparaître au balcon du palais pour distribuer le butin de la victoire. Dans quelques heures, Penou doit sauver Tétiki. Il a combiné toutes sortes de plans, imaginé toutes sortes de réactions du pharaon, du grand vizir, de Kanefer, de lui-même. Malgré cela il se retrouve aussi incertain, aussi désarmé, aussi malheureux, devant la tâche à accomplir.

Incapable de supporter seul plus longtemps une aussi lourde responsabilité, il rentre réveiller Nofret.

« Nofret, lui dit-il d'une voix anxieuse, Nofret, c'est aujourd'hui. »

Nofret ouvre les yeux avec un sourire heureux. Elle répète d'un air extasié :

« Oui, c'est aujourd'hui.

— Tu crois qu'on va le sauver ? J'ai tellement peur ! »

La jeune fille s'assied sur le lit et passe doucement sa main sur la tête frisée.

« Pourquoi t'inquiètes-tu ? Pourquoi enlèves-tu ta confiance à Pharaon ? Il est un dieu. »

La sérénité de Nofret reste sans effet sur le nain, toujours aussi fébrile et tourmenté.

« Si on me reconnaît avant que je puisse parler à Ahmosis ? Si on me met en prison ? »

Nofret ne comprend pas l'anxiété de son ami. Depuis le retour de Pharaon elle est plongée dans un rêve de bonheur. Elle se contente de répondre simplement :

« Tu n'as rien à craindre. Aujourd'hui le mal est chassé du milieu des hommes. »

Penou soupire devant un tel aveuglement. Déconcerté par l'optimisme de la jeune fille, il tente une dernière fois de faire partager ses soucis :

« Tu es comme une fleur de lotus qui ne voit que le soleil. Tu ne sens pas ce qui se passe dans le monde. Je t'assure que le danger est autour de moi. »

Nofret lui caresse à nouveau les cheveux :

« Je sens toujours ce qui se passe autour de moi. Et maintenant je sens que Thèbes vit un temps merveilleux. »

Elle ajoute avec un léger reproche dans la voix :

« Tes craintes sont une offense aux dieux. »

Devant une telle sévérité, Penou se sent obligé de garder pour lui ses craintes. Il se sent plus seul que jamais. Il aurait aimé parler à Didiphor, mais le babouin, le ventre creux, luttant contre le sommeil, surveille jour et nuit le jardin de Kanefer.

À la fin de la matinée Nofret commence sa toilette. Devant elle sont posés un petit miroir de cuivre, des pots d'onguents en pierre, deux boîtes à fard en bois ayant la forme d'une sauterelle et d'un canard. Nofret met de la poudre de malachite sur ses paupières et étire ses yeux et ses sourcils avec du fard noir qui vient du pays de Pount. Puis elle tresse ses longs cheveux en multiples petites nattes au bout desquelles elle accroche de fines rondelles de cuivre. Enfin, ayant revêtu sa plus belle robe de lin, mis son collier et ses bracelets, elle prend sa harpe pour aller au palais de Pharaon.

Thèbes est en fête. Nofret se mêle à la foule qui se dirige vers la place du palais. On acclame au passage les chefs militaires et les soldats qui doivent recevoir des cadeaux du roi en leur criant :

« Maintenant, vous allez devenir des gens en or. »

Penou aussi s'est préparé pour la cérémonie. Il enfile ses bracelets, embrasse une dernière fois ses amulettes, supplie la déesse Hathor d'accompagner ses gestes et ses paroles et quitte à son tour la maison. La tête baissée pour ne pas être reconnu, entièrement concentré vers son but, il traverse la ville en fleurs, en rires et en chansons, comme on traverse un champ de bataille en se livrant au destin.

Le brouhaha de la foule cesse brusquement lorsque, sur le balcon des apparitions royales, se montre Pharaon, en grande tenue de cérémonie : sur sa tête la double couronne, le « pschent », qui combine la coiffe rouge de la Basse-Égypte et la mitre blanche de la Haute-Égypte. Au menton, la barbe postiche. Son pagne de fête est plissé, soutenu par une large ceinture sur laquelle est gravé son cartouche. Derrière son dos pend une queue de taureau, signe de divinité. Devant le pagne est posé un devanteau de métal et de perles. Il a chaussé des sandales d'or.

Ses bijoux comprennent le traditionnel collier de perles à trois rangs, un grand pectoral et trois bracelets : l'un en haut du bras, l'autre au poignet, le troisième à la cheville.

Derrière lui se tiennent le grand vizir, le grand prêtre, le lieutenant général aux armées. Derrière encore des scribes. Parmi eux, Kanefer. Au fond, dans le salon, Nofret joue de la harpe avec d'autres musiciennes dans un grand va-et-vient de serviteurs.

Une grande partie du butin de guerre est donnée au temple d'Amon. Le reste est réparti entre le trésor personnel du pharaon et les particuliers qui ont mérité la faveur du roi. Les heureux bénéficiaires de la générosité royale défilent les uns après les autres sous le balcon. Pharaon leur jette, à tour de rôle, des colliers et des bracelets d'or, sous les applaudissements de la foule.

Enfin Pharaon prend la parole :

« Thébains, un temps heureux est arrivé. J'ai chassé les étrangers du pays tout entier. Ils étaient en Égypte et je les ai repoussés jusqu'à la mer. J'ai réuni les Deux Couronnes, unifié le Double Pays, rassemblé les Deux Rivages. Aujourd'hui, commence une nouvelle dynastie, selon le désir de mon père le dieu Amon. Il a soutenu la force de mon bras et nous porterons loin sur les rives étrangères la puissance de son nom. Thèbes, ville qui m'aime et m'a toujours suivi, je fais de toi la nouvelle capitale d'Égypte. »

Une explosion d'allégresse, une tempête de fleurs, un concert de sistres répondent aux paroles du roi. On répète sans se lasser :

« Pharaon, Vie, Santé, Force, est le dieu, fils du dieu. »

Penou s'est glissé jusqu'au premier rang de la foule, juste sous le balcon du roi. Profitant de la joie générale, il fait une triple pirouette en l'air pour attirer l'attention d'Ahmosis, puis se prosterne devant lui. Pharaon laisse tomber son fier regard sur le nain et lui demande :

« Que veux-tu ? »

Penou parle d'une voix forte et émue :

« Maître de sagesse, aux desseins parfaits, aux commandements excellents, dont la crainte s'est répandue sur toute la terre, permets que je danse pour ton père, le dieu Amon. »

Pharaon sourit et dit :

« Mon père Amon aime la danse du soleil. »

Alors Penou se met à danser. Il oublie la foule, le pharaon, le dieu Amon. Il ne pense qu'à Tétiki abandonné et menacé sur la rive de l'éternité. Alors il saute, tourne, rampe, virevolte, crie, comme s'il engageait un combat terrifiant pour arracher son ami aux Hyksos, à la mort, aux chacals affamés.

Pharaon s'est amusé.

« Quel est ton nom ? demande-t-il.

— Penou, répond fièrement le nain. Je suis l'ami de Tétiki, le fils du nomarque d'Éléphantine. »

La nouvelle est comme une pierre jetée dans l'eau calme du fleuve. Le murmure des noms de Tétiki et de Penou se propage comme une onde, créant la stupéfaction, l'effroi, ou l'enthousiasme.

Le grand vizir a sursauté d'étonnement en entendant la déclaration du nain. Le grand prêtre a souri légèrement.

« Ce nain est un menteur, s'exclame le grand vizir d'une voix frémissante d'indignation. Penou est mort, tué par Kanefer.

— Si je suis mort, répond Penou, avec l'insolence du désespoir, alors je suis le premier mort à revenir danser la danse du soleil. »

L'agitation redouble dans la foule. Pharaon est visiblement mécontent. Il se tourne vers le vizir :

« J'attends que tu m'expliques ce qui se passe ici.

— Que Ta Majesté écoute mes paroles, répond le vizir. Ce nain se moque de ton royal triomphe.

— Est-il Penou, ou est-il un menteur ? demande Pharaon.

— Interroge Kanefer », répond le vizir désemparé.

Pharaon se retourne vers le scribe et lui fait signe d'avancer.

« Regarde bien ce nain, lui dit-il. Est-il celui que tu as tué ?

— C'est bien Penou, balbutie Kanefer confondu. Je croyais l'avoir tué. »

Le grand vizir retrouve son assurance :

« C'est un complice de Tétiki qui a pillé la tombe

de Taa et s'est évadé de la forteresse. Penou doit être empalé.

— Maître de sagesse, supplie Penou, Tétiki a été injustement accusé par Kanefer. C'est le scribe qui a tué Peikaru et Hori... »

Mais le grand vizir lui coupe la parole :

« Tu oses attaquer la justice du roi ? »

Pharaon se tourne déjà vers les gardes quand le grand prêtre prend la parole :

« Le grand vizir peut s'être trompé. Mais toi, le fils du dieu, tu sais reconnaître la vérité du mensonge. Ne condamne pas Penou sans l'avoir écouté. »

Alors la colère enflamme le cœur de Pharaon.

« Qu'avez-vous fait à Thèbes en mon absence ? Je ne trouve ici que mensonges et querelles. Qu'on emmène le scribe et le nain à la maison d'arrêt. Demain, nous parlerons de cette affaire en mon conseil. »

Et Ahmosis quitte le balcon et rentre dans le salon d'apparat.

Chacun recule sur son passage, craignant sa fureur. Seule Nofret s'avance vers lui le visage rayonnant :

« Toi, le dieu sur terre, daigne écouter mes paroles. Un enfant est en train de mourir pour t'avoir servi en secret. Ne permets pas que l'on confonde les faux et les vrais serviteurs de Pharaon.

— Comment croire à tes paroles ? interroge Pharaon, touché par la douceur de la jeune fille.

— Fais fouiller le jardin de Kanefer. Si tes gardes trouvent sous le figuier le masque de Taa, l'œil oudjat gauche de la momie et le collier d'Osiris, apprends de Penou la vérité. Sinon que je sois mutilée et envoyée en Éthiopie. »

Pharaon, ému par le courage de la harpiste, se tourne vers le secrétaire de tous les ordres royaux :

« Va avec six gardes dans le jardin de Kanefer. Fouille sous le figuier et reviens immédiatement me rendre compte de ce que tu auras trouvé. »

Puis Ahmosis se dirige vers ses appartements privés.

Le dixième jour du deuxième mois de la moisson, Antef décide de quitter la vallée des rois.

« Nous repartons, dit-il à ses hommes. Nous trouverons certainement Tétiki sur le chemin du retour. »

Les hommes font semblant de le croire. Ils ont hâte de quitter le désert. Ils rassemblent les torches et les traîneaux et commencent à descendre dans la vallée. Au milieu de la pente, Antef, saisi par un dernier doute, attrape une torche et rebrousse chemin.

« Attendez-moi », ordonne-t-il.

Et il remonte de son pas claudicant vers la combe. Quand il pénètre dans la tombe, il trouve Tétiki dans la salle d'accueil de l'âme, allongé sur le sol près de la balance d'Osiris, épuisé de faim et de soif.

Antef plisse les yeux de satisfaction.

« Je savais bien que je te retrouverais. Tu es rusé, Tétiki, mais celui qui est plus rusé que moi n'a pas encore vu la lumière du jour. Maintenant, lève-toi et conduis-nous à la cachette. Sinon je t'arrache les ongles, un à un. »

Le garçon n'a plus la force de lutter. Il reprend le chemin parcouru tant de fois, franchit à nouveau le petit col entre les collines et s'arrête devant la grande pierre rectangulaire qui ferme la grotte. Les hommes dégagent l'entrée.

« C'est une nécropole de singes, dit l'un.

— Il se moque encore de nous », dit l'autre.

Et déjà l'homme brandit son bâton. Mais Antef arrête son geste.

« Je ne t'ai pas dit de frapper. Entre et regarde tout en détail. »

L'homme descend dans la montagne. Il en ressort, quelques instants plus tard, les yeux éblouis et la voix bouleversée.

« Par Seth ! C'est comme mille soleils sous la terre ! »

Tous se bousculent pour entrer dans la grotte. Tétiki reste seul. Il est trop épuisé pour essayer de s'échapper. Il entend des cris d'exclamation, puis la voix mielleuse d'Antef qui dit :

« Tu l'emmèneras dans le Nil et le jetteras aux crocodiles. Le corps de ce garçon doit disparaître de l'univers. »

Tétiki pense à sa mère qu'il va rejoindre dans le monde souterrain. Le royaume d'en bas lui paraît tout d'un coup bien mystérieux. Que se passe-t-il vraiment derrière la porte de l'au-delà ? Personne n'en est jamais revenu.

Le soleil est au zénith et l'air vibre sous la chaleur. Tétiki croit entendre des chiens aboyer.

« Je fais un mauvais rêve, se dit-il. Que le grand ka d'Amon me protège ! »

Mais les aboiements continuent de résonner dans sa tête. Alors il se bouche les oreilles pour ne plus rien entendre. Pourtant le mauvais rêve se poursuit. Maintenant Tétiki voit des mirages : trois chiens qui courent sur la colline de droite. Il ferme les yeux.

« Je ne veux pas mourir », murmure-t-il.

Quand il regarde à nouveau autour de lui les chiens sont encore là. Derrière eux marchent les chasseurs du désert qui les tiennent en laisse. Et d'autres chasseurs surgissent sur la colline de gauche. Et une autre escouade encore marche dans la vallée, conduite par Penou et Didiphor qui pousse des cris affolés en bondissant vers lui.

Alors seulement Tétiki comprend que Pharaon est venu à son secours. Il se redresse avec difficulté, agite péniblement un bras pour faire un petit signe à ses amis, et tente de marcher en direction de la vallée. Mais il tient à peine debout. Sa tête est brûlante et lourde, traversée par des éclairs de douleur. Tétiki lutte de toutes ses forces contre le vertige qui le fait chanceler à chaque pas, concentrant son regard sur Didiphor qui court, en droite ligne, vers lui. Mais soudain tout se trouble devant ses yeux. Le soleil éclate en morceaux. La terre lentement bascule. Tétiki sent son front heurter une pierre froide et perd connaissance.

Épilogue

Dans le port d'Éléphantine, protégés par des porte-parasols et assis sur des fauteuils de bois sculpté, le nomarque Ramose et le grand vizir assistent à l'embarquement de deux obélisques. On les a fait glisser sur des traîneaux, le long de rampes de bois, des carrières jusqu'au fleuve. Maintenant les deux énormes blocs de granit, longs de quarante-deux mètres et pesant soixante-quinze tonnes chacun, reposent sur deux immenses chalands plats. Tout autour, des rameurs, dans des dizaines de petits bateaux, s'approchent des lourds convois. Avec des cordes les marins attachent les embarcations aux chalands afin de pouvoir les remorquer.

« Que sont devenus Antef et Makaré ? demande Ramose. La rumeur du Nil ne m'a apporté aucune nouvelle sur leur sort. »

Le grand vizir laisse tomber sa main dans un geste d'impuissance.

« Ils ont disparu. Ils se sont échappés comme des serpents se faufilant sous les pierres. »

Puis le grand vizir regarde les obélisques en souriant et ajoute :

« Mais maintenant ils ne peuvent plus répandre leur venin !

— Que ta parole dise la vérité ! » soupire Ramose.

Puis il demande :

« Et Kanefer ? »

À ce nom, le grand vizir tressaille et dit avec une irritation mal contenue :

« Je lui ai donné ma confiance et il m'a trompé. Les scribes, de nos jours, ne sont plus ce qu'ils étaient.

— Qu'est-il devenu ? insiste Ramose.

— Pharaon lui a accordé sa grâce, dans l'allégresse de son triomphe. Le roi l'a envoyé surveiller les caravanes qui vont au pays de Pount, dans le désert d'Orient, chercher les aromates pour les embaumeurs. »

Les petites barques chargées de rameurs sont maintenant toutes amarrées au convoi des deux obélisques. Il ne reste plus qu'à partir. Le grand vizir salue le nomarque d'Éléphantine :

« Quand les obélisques seront recouverts d'or et dressés vers le soleil dans le temple de Karnak, Pharaon célébrera la fête du couronnement. Je demande à tous les dieux et à toutes les déesses qu'ils t'accordent vie, santé et force jusqu'à ce jour. »

Ramose s'incline à son tour :

« Que le grand ka d'Amon t'accorde de rester dans les faveurs de Pharaon. »

Puis le nomarque reste un moment à contempler le fleuve. Les chalands s'éloignent vers le nord et les centaines de cordes qui les remorquent vers Thèbes paraissent des tresses d'or dans le soleil couchant.

Debout dans sa barque de papyrus, Tétiki lance son boomerang sur un vol d'oiseaux qui traversent le Nil. Un pigeon tourbillonne lentement et tombe dans le fleuve. Didiphor trempe sa patte dans l'eau pour attraper l'oiseau que le courant ramène près de la barque.

« Cela fait treize pigeons ! » s'exclame Tétiki en riant.

Il entend les grelots d'un sistre qui tintent fébrilement et aperçoit Penou qui court sur la rive.

« As-tu préparé le feu, l'ail et les oignons pour faire griller les pigeons ? » lui crie Tétiki.

Mais le nain secoue la tête en faisant de grands gestes désespérés. Tétiki ramène la barque vers le rivage et Didiphor saute en direction du nain. Il se tord les bras de douleur.

« Je ne peux pas faire de feu. Je ne peux pas manger de pigeon. Le malheur est arrivé sur moi avec la férocité du vautour et la rapidité de la gazelle. »

Tétiki le regarde en souriant.

« Que t'est-il arrivé, Penou ? »

Penou dit d'une voix tremblante :

« J'ai vu le sarcophage sous le figuier.

— Quel sarcophage ? demande le garçon.

— Le sarcophage de Kanefer. Le couvercle s'est brusquement relevé tout seul, d'un seul coup, et Kanefer s'est dressé devant moi en agitant une perruque. Il m'a dit : "L'heure est venue où tu dois danser pour moi la danse du soleil. Je viens t'acheter avec une perruque frisée." »

Et Penou embrasse ses amulettes en balbutiant :

« Je ne veux plus être esclave. Je ne veux plus être vendu. Je préfère marcher dans le désert... »

Tétiki l'interrompt en riant :

« Tu as fait un mauvais rêve, Penou. Va voir la servante. Demande-lui de te barbouiller le visage avec un mélange de bière, d'herbes et d'encens. Et reviens vite faire griller les pigeons. J'ai une faim d'hippopotame. »

Et tandis que Penou se dirige vers le domaine du nomarque en agitant son sistre, le bonheur bourdonne dans le cœur de Tétiki. Il regarde autour de lui le double rivage du Nil : les noirs rochers de la première cataracte dessinent des petites rivières sinueuses aux reflets changeants dans la lumière du soir. La montagne d'Occident s'emplit d'ombre, tandis que les carrières de granit rose s'illuminent au couchant. Un tumulte de pépiements d'oiseaux sort des bosquets de papyrus et des feuillages des arbres.

Tétiki se tourne vers son singe, qui s'est assis sur son épaule :

« Tu ne trouves pas, Didiphor, qu'Éléphantine est la plus belle province d'Égypte ? »

Didiphor met sa patte dans les cheveux de son maître et le caresse doucement en signe d'assentiment. Puis il pousse des clameurs rauques pour aider le soleil à continuer sa course dans sa barque de nuit.

ODILE WEULERSSE

Odile Weulersse, née à Neuilly-sur-Seine en 1938, est à vingt ans diplômée de l'Institut des Sciences politiques, puis agrégée de philosophie en 1969. D'autres intérêts encore la sollicitent : à l'université de Paris IV Sorbonne où elle devient maître-assistante, elle enseigne sur le cinéma et, en 1984, la télévision réalise une émission dont elle a écrit le scénario. Enfin, quand elle se fait romancière pour conter aux enfants une aventure de l'Égypte ancienne, c'est sur une documentation sans faille qu'elle bâtit son récit, plein de vie, évocateur comme un film.

Table

Composition JOUVE – 53100 Mayenne
N° 293649f
Imprimé en Italie par G. Canale & C.S.p.A.- Borgaro T.se (Turin)
Juillet 2001 - Dépôt éditeur n° 12892
32.10.1915.1/01 - ISBN : 2.01.321915.6
Loi n° 49-956 du 16 juillet 1949 sur les publications destinées à la jeunesse.
Dépôt : août 2001